CORÍN TELLADO

Mi marido me espera

punto de lectura

Título: Mi marido me espera
© Corín Tellado, 2002
© Ediciones B, S.A.
© De esta edición: septiembre 2002, Suma de Letras, S.L.
Barquillo, 21. 28004 Madrid (España) www.puntodelectura.com

ISBN: 84-663-0825-3
Depósito legal: M-30.794-2002
Impreso en España – Printed in Spain

Diseño de colección: Ignacio Ballesteros

Impreso por Mateu Cromo, S.A.

CORÍN TELLADO

Mi marido me espera

Uno

Will repasaba la correspondencia. De pronto lanzó una exclamación. Audrey le miró asustada.

—¿Qué te ocurre?

—Mira. Es de Thomas Wales. ¿Desde cuándo no me escribe este tunante? —Sacudió el sobre—. ¡Quién iba a decirlo! —añadió, al tiempo de romper la nema—. Cuando éramos unos simples estudiantes de tercer grado —arrugó más la nariz—, siempre decía que llegaría a ser millonario. Yo me reía. Éramos dos muchachos con muchas ilusiones, pero escasos recursos —se repantigó en la butaca—. Y ya ves; yo llegué a ser un personaje en la City, y él... uno de los hombres más ricos de América. Se fue a los dieciocho años. Los estudios no se hicieron para él. Yo seguí mi carrera aquí, en Inglaterra...

—¿Qué te dice? —preguntó la esposa, levantando los ojos de la revista que miraba.

—No la he leído aún.

—¿Qué esperas? Ya conozco toda la historia de tu amado amigo Thomas. No precisas repetírmela —rió con ternura—. Tantos años de separación y sigues pensando en tu amigo, como si aún fuerais los dos alumnos de tercer curso.

—Es verdad. Era el mejor amigo. Hay pocos como él, Audrey. No te puedes fiar de nadie. Thomas era un muchacho algo bruto, si quieres; tal vez el dinero lo haya refinado. Pero dentro de su rudeza, existía un corazón así de grande —abrió los brazos—. Un gran amigo, Audrey —añadió con nostalgia—. Nunca tuve otro amigo como él desde que se fue. Él ha llegado a su meta y yo llegué a la mía. Te aseguro que cuando éramos jovenzuelos, nadie hubiera vaticinado el triunfo para ambos. A él le gustaban mucho las mujeres y el alcohol. A mí…

La esposa se echó a reír.

—También, Will. ¿Por qué no eres sincero contigo mismo?

—¡Hum! Veamos lo que dice Thomas.

Desplegó el sobre y empezó a leer en voz baja. De pronto lanzó un resoplido.

—¡Audrey, Audrey! —exclamó sofocado—, esto es inaudito. Escucha. Cosas de Thomas —rió a carcajadas—. ¿A quién se le puede ocurrir semejante cosa? Escucha, escucha…

—Te estoy escuchando desde que empezaste, Will. Lee de una vez.

«Querido amigo: apuesto a que no te has olvidado de mí. ¡Claro que no! ¿Sabes una cosa, Will? Desde que aquella mañana me acompañaste al barco que había de llevarme de polizón a Nueva York, no he dejado de pensar en ti, pese a lo poco que te escribo. ¿Recibiste mi última tarjeta por Navidad? ¿No? Bueno, es igual. Lo cierto es que nunca me olvidé del gran amigo. Ahora te necesito y recurro a ti. ¿Sabes lo que deseo? Una esposa. Sí, sí, no pongas esa expresión de terror. Necesito una esposa. ¿No te has casado tú? Sé que eres muy feliz con Audrey. ¿Por qué no venías a hacerme una visita? Te digo que necesito una esposa y la deseo inglesa. ¿Quieres hacerme el favor de buscármela? Me fío de ti. No quiero una divorciada. Ha de ser aproximadamente de mi edad. Treinta años. Una mujer a esta edad ya tiene un poco de sentido común. He decidido tener hijos, legítimos, de legítimo matrimonio. Me he cansado de las muchachas que pretenden cazar mis cuartos. Prefiero comprar una, a que una me compre a mí. Que sea morena, alta y arrogante. Detesto las fragilidades. Nada de remilgos, Will, ya me conoces. Dile que puedo cubrirla de oro. Cásate con ella en mi nombre, envíamela y ponme un cable. Iré a buscarla. Te envío un giro para que le compres el brillante más hermoso que haya en Londres. Oye, procura que sea sencilla, que yo pueda comprenderla. Ya sabes que mis estudios se detuvieron en el tercer grado. No me mandes una superculta. Detesto las jóvenes que recitan los clásicos franceses sin parpadear. Contéstame pronto y dime si ya la tienes dispuesta. Un abrazo de tu amigo… Saluda a tu esposa en mi nombre,

»Thomas.»

—¿Qué te parece?

—Una *tomasada*.

—Es un hombre excepcional.

—¿Por pretender casarse por poderes con una mujer que ni siquiera conoce?

—Mujer, él no tiene tiempo para elegirla.

—Pero lo tiene para conocer jóvenes que van a la caza de su dinero.

—Audrey, no te pongas así. Debes ayudarme a encontrar una esposa apropiada para Thomas.

Audrey miró a su marido con expresión incrédula.

—Oye —exclamó—, no pensarás… buscar una mujer para Thomas, ¿no?

—Claro que lo pienso.

—No cuentes conmigo.

—Mujer.

—No, Will. Aún no estoy loca. Nadie puede buscar una mujer para otro. Eso es un desatino. ¿Qué puedes saber tú de los gustos de tu amigo?

—Ya me lo dice él. Morena. De treinta años…

Audrey se puso en pie, alzándose de hombros. Era la hora de comer, y una uniformada doncella anunció que la mesa estaba dispuesta.

—Pasemos al comedor, querido Will —rió Audrey, asiendo de la mano a su marido—, y olvida ese asunto. Escribe a Thomas y dile que venga a Londres a buscar mujer, puesto que la prefiere inglesa.

El esposo se puso en pie, pero no depuso su interés.

—Haré todo lo posible por ayudarle, Audrey, y estoy seguro que tú me ayudarás también.

Beatriz Mac Whirter apretó los labios y retorció las manos una contra otra.

—Calma, Beatriz.

—¿Calma? —repitió la preciosidad de muchacha, con los ojos secos a fuerza de contener las lágrimas—. ¿Se puede tener calma con lo que me pasa a mí? ¿No te das cuenta, Audrey?

—Sí, sí, pero…

—Todo de golpe. Primero papá muerto de un tiro. ¿Quién iba decirme que papá se mataría?

—Beatriz…

Will daba paseos precipitados por el lujoso salón. Con las manos tras la espalda, miraba la desolación que los criados iban dejando tras de sí. Sólo quedaba en el salón, el sofá donde descansaba Beatriz, un cuadro y una alfombra. Pronto pasarían a recogerlo los encargados de la subasta.

—Lo mejor —dijo deteniéndose— es que vengas con nosotros, Beatriz. ¿Qué vas a hacer en una casa vacía? Además, pronto vendrá el nuevo dueño a hacerse cargo de ella. No me explico por qué no has acudido a nosotros, antes de permitir esta mezquina subasta.

—Todo estaba hipotecado, Will —dijo la esposa—. Beatriz no sabía nada…

—¿Y…? —apretó los labios. Beatriz lo miró con cariño.

—Sigue, Will, no te detengas.

Will apretó los puños y se detuvo ante Beatriz.

—¿Dónde puedo encontrarlo? ¿No era tu prometido? ¿No ibais a casaros?

—Will —dijo Audrey sofocada—, ya está bien. Beatriz ha sufrido mucho. No debes sofocarla más.

—No importa, Audrey —miró a Will—. Lo ocurrido es del dominio público. No me duele que lo sea. ¡Qué más da! Mi pena es horrible, Will, pero no porque James me haya dejado en un trance así, sino porque papá murió, tal vez martirizado, por lo que él consideró mi mayor vergüenza. Debió ser fuerte, y murió como un cobarde. A mí no me asusta la ruina, Will —miró a su amiga—. Tú bien lo sabes, Audrey. Lo que me asusta, lo que me aterra, lo que en realidad me horroriza, es esta soledad. El hecho de

11

que papá se arruinara y nada me dijera, es lamentable. Yo le hubiera consolado, pero él no lo comprendió así.

—Ahora no pienses en ello.

—El hecho —prosiguió con un hilo de voz— de que James no volviera…

—James necesitaba dinero —gruñó Will— y creyó, como creímos todos, que la fortuna de tu padre era sólida.

—Cállate, Will.

—¿Acaso no es cierto? ¿No dio pruebas de ello?

Las dos mujeres guardaron silencio.

—James marchó a Brasil ayer noche —dijo Beatriz de pronto—. Lo supe por un amigo que ha venido a darme el pésame.

—¿Sin despedirse de ti?

—No pudo hacerlo, porque… porque era una vileza.

—Ya.

—Bueno —decidió Audrey—. Hoy vas a venir con nosotros a casa. Mañana ya se pensará en lo que será mejor hacer.

—Pero.

—Vamos, Beatriz —pidió a su vez Will—. Que se lo lleven todo y guisen los cimientos. Tiene razón Audrey. Tú te vienes con nosotros, y mañana… Ya pensaremos con calma.

No fue fácil convencerla, pero al fin lo lograron. Ya en el auto, camino de la lujosa residencia de Audrey y Will, Beatriz no pudo más, y ocultando el rostro entre las manos, sollozó.

—Beatriz.

—Déjala que llore —dijo Will—. Necesita llorar.

—¿Le amabas tanto? —preguntó Audrey—. Hace tanto tiempo que no te veo, Beatriz… Si no es por los periódicos, ni siquiera nos hubiéramos enterado de la muerte de tu padre.

—Cuando nos sentimos felices —dijo la joven sin dejar de llorar— apenas nos acordamos de los demás. Después, cuando la desgracia se cebó en mí, sentí reparos, Audrey. Si cuando era feliz no compartí contigo mi felicidad, ¿qué derecho tenía a hacerte partícipe de mi amargura?

—Para eso estamos los amigos, querida Beatriz. Ni tú ni yo podemos olvidar fácilmente lo unidas que estuvimos durante nuestros tiempos de colegialas y, después, antes de casarme yo. Tampoco puedo olvidar que fuiste mi primera dama de honor en mi boda.

—Lo mejor de todo —opinó Will sin dejar de conducir— es que ahora os olvidéis de lo ocurrido.

Ambos habían logrado enviar a Beatriz a la cama. Solos de nuevo, en el rincón del salón, ante la chimenea encendida, Will Lomax fumaba un habano, mientras su esposa, pensativa y silenciosa, contemplaba absorta las chispas rojizas que saltaban de la chimenea.

—¿Quieres explicarme lo ocurrido, Audrey? —preguntó el marido por tercera vez—. No acabo de comprenderlo. Hugo Mac Whirter era millonario. Al menos, en el mundo de las finanzas se le consideraba como tal. ¿Qué pudo ocurrir para que surgiera esta estremecedora bancarrota?

—Jugadas de Bolsa primero, y luego se asoció con un canalla que aducía poseer minas de oro. La ruina fue fulminante. Hugo no pudo soportarla y se suicidó.

—¿Y James Holland? ¿No iban a casarse?

—En efecto, Will. Pero no se han casado. James, al conocer la ruina de su prometida y la aparatosa muerte de su futuro suegro, se sintió tan cobarde como Hugo y huyó, sin dar a Beatriz una explicación.

—¡Maldito gusano!

—Los acreedores se lanzaron sobre los restos de la fortuna de los Mac Whirter, y aquí tienes a una muchacha lindísima, que hace apenas unas semanas se la consideraba una de las más ricas herederas del país, convertida en una pobre chica sin un chelín.

Will fumó deprisa. Se sentía deprimido. Él tenía la fatalidad de sentir como propios los desgarros de sus amigos. Cierto que Beatriz no era amiga suya, pero lo era de su esposa. Íntima amiga. Mientras Audrey no se casó con él, de eso hacía tres años, Beatriz y Audrey fueron inseparables. Aun después de casados, mientras Beatriz no tuvo novio formal, siempre estaba en su casa, haciendo compañía a Audrey cuando él estaba ausente, y aun hallándose en su hogar, Beatriz compartía muchas veces la mesa y hasta las tertulias. Y cuando Hugo Mac Whirter, por asuntos de sus negocios se veía obligado a ausentarse, Beatriz se instalaba en el hogar de su amiga hasta el regreso de su padre. Por esa razón, ni él ni Audrey podían permitir que en trance tan horrible la joven amiguita se sintiere sola.

—¿Qué vamos a hacer, Will? —preguntó Audrey, deteniendo los pensamientos de su esposo—. No podemos permitir que Beatriz se sienta sola.

—Por supuesto. Pero no te olvides que es muy orgullosa y que no permitirá que nos ocupemos de ella.

—Tendremos que hacer uso de toda nuestra ternura y diplomacia, para no herir su suceptibilidad.

—Por supuesto.

—Por ahora está soportando el golpe con estoicismo, pero… llegará un momento en que será la comidilla de toda la sociedad, y eso Beatriz no podrá soportarlo.

—Oye —exclamó de pronto Will—, ¿sabes qué estoy pensando?

La esposa lo miró interrogante.

—Casarla con Thomas.

Audrey se estremeció.

—Estás loco, Will. No lo pretendas siquiera. No le digas nada a Beatriz. Se sentiría ofendida.

—Thomas es un gran hombre, y millonario por añadidura.

—Sí, puede que sí… Pero te olvidas de que Beatriz es una muchacha frágil, de una distinción innata. Es rubia, además, y tiene los ojos azules, y cuenta sólo veintiún años.

—Eso es lo de menos. Thomas se hará cargo.

Audrey movió la cabeza de un lado a otro con pesadumbre.

—Los hombres como Thomas, Will, tienen un criterio propio, y no es fácil desmontarlos de él. No. No es Beatriz mujer apropiada para tu amigo. Te oí hablar demasiado de él. Me lo has retratado como un hombre cargado de dinero y ordinariez. Muy noble, muy honrado, muy cabal, pero sin refinamiento alguno. ¿Conociste a James?

—Hum.

—Era el prototipo del hombre exquisito.

—Ya. ¿Te has fijado en el resultado de su exquisitez? Thomas jamás hubiese abandonado a su novia en un trance así. A eso le llamo yo refinamiento, Audrey.

—De todos modos, no es Thomas el hombre indicado para Beatriz. No hablemos más de esto, Will. No

15

sería prudente ni humano que, dada la situación, indicáramos a Beatriz una boda que la rebajaría ante sus mismos ojos.

—Vosotras, las mujeres de la alta sociedad, sois especiales. Dime, Audrey querida; ¿qué tengo yo, además de dinero? Y te has casado conmigo. Yo soy un tipo parecido a Thomas. Carezco de refinamiento. No soy diplomático, no soy exquisito. Pero tú me amas.

Audrey alargó la mano y la perdió entre los largos dedos de su marido.

—Te amo, Will —susurró zalamera, oprimiéndose en sus brazos—. Cierto que te amo. Ya sé que no tienes nada de lo que las mujeres deseamos hallar en nuestros maridos, pero yo te amo.

—Bien —rió perdiendo su boca en los labios abiertos de su mujer—. Querida… si tú me amas siendo como soy, ¿por qué tu amiga, que pertenece al mismo mundo exquisito que tú, no puede amar a Thomas?

—Porque Thomas es diferente a ti. Basta leer su carta para que una se dé cuenta de que sois distintos.

—De todos modos… se lo diré a Beatriz.

—No.

—Y tú me ayudarás, Audrey. Dime, cariño mío; entre sufrir la vergüenza aquí, en ese mundo suyo que no perdona la pobreza, a vivir en otro país donde será respetada y mimada, la elección es obvia.

Audrey le besaba. Se olvidaba un poco de su amiga. Will tomó a su mujer en brazos y también se olvidó de Beatriz. Al rato la chimenea seguía chisporroteando y ninguno de los dos se daba cuenta…

Tenía los ojos muy abiertos. Fumaba un cigarrillo y la chispa de éste producía en la pared cierta difusa claridad. Claridad que Beatriz no veía, pues sus ojos, húmedos de llanto, apenas se abrían y se cerraban en una fracción de segundo. Los apretó con fuerza, cómo si pretendiera alejar los pensamientos torturadores. Pensaba en su padre. Estaba muerto. Sólo le quedaba rezar por él. Era algo que ya no volvería jamás. Lo que quedaba allí, junto a ella, era la ruina total, la soledad. La vergüenza de ser repudiada sin explicaciones.

Era demasiado orgullosa para admitir de buen grado aquella derrota. De haber tenido un diario, habría escrito en él: «Me siento desolada y humillada. Tanto que mi orgullo se siente más humillado que desolado. He creído en el amor de James y le he querido. Le he querido como jamás quise ni querré a otro hombre. Y ahora, abandonada por él sin explicaciones, voy a ser la comidilla de toda la ciudad. Mi sociedad no perdona. Ello me mengua y me desvaloriza. Tía Gene me llamará a su lado, tendré que servirle el té y escuchar sus sandeces y oírle decir a cada instante: "Ya se lo decía yo a tu padre. Tu padre siempre fue un jugador con suerte, algún día tenía que fallarle". Nunca podría vivir con tía Gene. Fue hermana de mi madre. Se quedó soltera, y nunca pudo perdonar a su hermana que se casara y fuera feliz junto a un tipo tan campanudo como era Hugo Mac Whirter».

Se quedó dormida con estos pensamientos, y a la mañana siguiente, cuando apareció ante su amiga, Audrey le dijo:

—Tienes buen semblante. Creo que has descansado bien.

Apenas había dormido. Pero admitió que había descansado.

—¿Sabes quién llamó por teléfono? Tu tía Gene.

Beatriz se estremeció.

Era una muchacha de estatura más bien alta, muy delgada, pero con las formas bien marcadas. Su busto era arrogante, sus senos menudos y túrgidos, de palpitante femineidad. Tenía una cintura breve y unas piernas perfectas. Las caderas redondas y su personalidad agudizada en extremo, contribuían a hacer de ella una mujer sumamente bella. Tenía el pelo rubio, de un rubio oscuro, casi castaño, los ojos de un azul transparente, orlados de espesas y largas pestañas negras. La nariz recta, de forma clásica, la boca grande y húmeda, de labios sensuales. Los dientes blancos e iguales. Los hombres la miraban mucho. Era hermosa, personal y de un atractivo nada común.

—¿Gene? —preguntó con un hilo de voz.

—Sí.

—¿Quién le dijo que me encontraba con vosotros?

—Al parecer llamó por teléfono a tu casa ayer noche, y se lo dijo un criado.

—¡Ah!

—Quiere hablar contigo.

No se iría con ella. Preferiría mil veces trabajar en el peor empleo, que vivir de limosna toda su vida, y escucharla, además, echar por tierra a su padre. Hugo Mac Whirter pudo ser un suicida insensato, pero jamás un mal padre. Ella le adoró. Bastó el hecho de haber quedado viudo tan joven y que jamás le dio una madrastra.

Fue su mejor amigo, su mejor compañero y consejero. No, nunca permitiría que tía Gene humillara a su padre muerto.

—Beatriz…

—Sí.

—Pareces distraída.

—Pensaba.

—¿En tía Gene?

—Ya sabes —susurró Beatriz sentándose ante la mesa, con el fin de dar principio al desayuno— que jamás pude tolerar a mi tía. Cuanto más ahora, que se cebará en mi desgracia. No se ha casado nunca, odia la juventud, y pasa su dinero por las narices de todos sus amigos y familiares. De éstos, sólo le quedo yo. Se gozará en hacerme saber que siempre odió a papá.

—No tienes necesidad de irte con ella. Nos tienes a nosotros.

—Eres muy buena —dijo con tenue acento—. Agradezco tu ofrecimiento, Audrey, pero ya sabes que no puedo aceptarlo. Soy joven, tengo que rehacer mi vida. No sé cómo ni en qué instante, pero de lo que sí estoy segura es de que no puedo perturbar la paz de la que tú y tu marido gozáis. Os habéis casado el otro día, como quien dice, y no tengo ningún derecho a importunaros.

—No digas eso.

Entró Will en el comedor.

—¿Por qué no dejamos esa conversación para otro momento y desayunamos? —Besó a su esposa en el pelo y palmeó el hombro de Beatriz—. Hay mil formas —dijo mientras se sentaba en su lugar habitual— para solucionar este problema. Ya pensaremos en ello.

—Es que hoy vendrá la tía de Beatriz.

—¿Gene? —rió Will, burlón—. Ya la frenaremos.

—Pretenderá llevarse a Beatriz.

Will volvió a reír.

—Ya no es menor de edad —comentó—. ¿Mantequilla, Beatriz?

—Gracias.

—¿Qué os parece si nos fuéramos hoy mismo a la finca a pasar el fin de semana los tres? En la quietud de aquellos lugares, junto a la chimenea encendida, pensaremos en la mejor fórmula para solucionar el problema de Beatriz. ¿Qué dices a eso, Audrey?

—Por mí, sí.

—¿Tú, Bea?

—No puedo alterar vuestras costumbes.

—Niña, no seas majadera. No alteramos nuestras costumbres —protestó Will haciéndose el ofendido—. Sólo aumentaremos un ser a la partida de dos.

—Por eso mismo.

—Beatriz —protestó Audrey—, voy a ofenderme si sigues negándote.

—Es que…

—Sin que. ¿No es cierto, Audrey?

Una doncella interrumpió el debate, anunciando la visita de *miss* Gene.

Beatriz se puso en pie de un salto.

—Iré con vosotros —decidió sofocada—. Pero antes tendré que recibirla.

—Niégate. Nada te obliga a ello.

—La cortesía, Will.

—Es cierto. Ya me había olvidado de que existía semejante señora.

Las dos jóvenes hubieron de esbozar una sonrisa.

—Pásela al salón, Nati —ordenó Audrey—. La señorita Beatriz irá en seguida.

La doncella giró en redondo, y los tres personajes que quedaron en el comedor se miraron entre sí.

—Una vez la hayas despedido —dijo Will— nos iremos a la finca. Lo tenemos todo dispuesto.

—Que no te convenza —pidió Audrey—. Ya sabes lo que sufres a su lado.

—Prefiero ser una carga momentánea para vosotros, que ser para ella un entretenimiento eterno. No, no iré con tía Gene.

—Ve, pues, a despedirla.

Sonrió a medias. Se sentía tan menguada, que de buen grado hubiera desaparecido para siempre.

Se dirigió al salón a paso ligero. Era muy atractiva. Vestía a la última moda y llevaba la ropa con soltura. Todos los que habían conocido a su madre sabían que se parecía a ella, aunque su aire decidido lo había heredado de su padre, y esto era lo que la tía Gene no le perdonaría jamás.

Dos

Tía Gene era una mujer delgada, alta y desgarbada. Si hubiera pertenecido al sexo opuesto, se habría dicho de ella: un zanquilargo. Pero pertenecía al sexo femenino, aunque al parecer se equivocaron al traerla al mundo.

Vestía un modelo elegantísimo, demasiado recargado para la mañana. Se cubría con un visón escandalosamente rico, y lucía joyas valiosísimas.

Beatriz, tan sencilla y a la vez tan distinguida, desentonó a su lado, y esto debió de verlo claramente la dama, porque se sintió incómoda y estalló en una sorda exclamación.

—¿Es que ni siquiera guardas luto por tu padre?

—Toma asiento, tía Gene. No —sonrió—. Papá me lo pidió antes de morir.

—¿Es que a tu padre le dio tiempo para hablar?

—Toma asiento —repitió pausadamente, con resignada paciencia—. ¿A qué se debe el honor de tu visita, tía Gene?

La dama se sentó tras lanzar un resoplido. Tenía esa edad en que la mujer aún puede disimular los años. Podían ser cincuenta y tres como sesenta y cinco. De todos modos las arrugas no podía disimularlas ya.

—He venido a buscarte —dijo rápidamente—. Ya conozco todo el desastre que se ceba sobre ti. Lo dicen los periódicos. Sé también que te has quedado sin hogar y sin dinero, y lo más gracioso es que también te has quedado sin novio.

—Ya veo que estás al tanto de todo.

—Nunca he dejado de estarlo. Un día u otro tenía que ocurrir. Tu padre siempre tuvo por cabeza un fósil.

—Si has venido a…

—Ta, Ta. He venido a buscarte. No pensarás que a la vez me olvido de quién fue tu padre.

—¡Te prohíbo…!

—Niña, que estamos en este mundo. No pensarás que soy una soñadora.

—No me iré contigo, tía Gene.

La dama se estiró.

—¿Prefieres vivir de limosna?

—Prefiero trabajar.

—¿Qué dices? ¿Tú trabajar?

—Lo prefiero a vivir de limosna contigo.

—Soy tu tía.

—Una tía que nunca pudo soportar a mi padre.

Tía Gene engulló saliva. En efecto, nunca pudo soportar al hombre que se llevó a su hermana, cuando ella… Bueno, eso pertenecía al pasado. Ella era la hermana mayor y siempre creyó que el aprendiz de financiero la pretendería a ella.

Claro, que eso no lo supo nadie jamás.

—Mi sobrina no puede vivir de limosna, Beatriz —dijo con fuerza—. No lo toleraré.

—Ya te he dicho que pienso trabajar.

—Tu madre se levantará de la tumba y te agarrará por el cuello.

Beatriz esbozó una triste sonrisa.

23

—Eres muy macabra.

—Ten presente que nunca más te ofreceré un lugar a mi lado.

—Te lo agradeceré.

—¿Es así como pagas mi interés?

—Nunca tuviste interés por mí, tía Gene.

La dama alzó el dedo y la amenazó con él enhiesto.

—Ten presente, te digo, que no te dejaré ni un chelín a la hora de mi muerte.

—Siempre he vivido sin ellos.

—Porque tenías los tuyos. Pero ahora no posees ni una libra. No vayas a pensar que es fácil vivir sin dinero. Aún no sabes lo que es eso.

—No me digas que conoces tú la experiencia.

—Yo he tenido un padre cuidadoso.

Beatriz se puso en pie, como si la impulsara un resorte. Con frialdad adujo:

—Que sea la última vez que haces un comentario a costa de papá.

—Aún eres capaz de admirarlo.

—Toda mi vida lo admiraré.

La dama se puso en pie y sacudió su rico visón.

—Está bien. No pienso molestarte más. Había pensado nombrarte mi heredera.

—Agradezco tu buena intención, tía Gene, pero prefiero vivir sin dinero, puesto que no me ha quedado nada del mío.

—Eres tan soberbia como tu padre lo fue.

—Soy su digna hija.

—Dignidad, dignidad —gruñó—. ¿Acaso la tuvo tu padre alguna vez?

Beatriz palideció, y súbitamente fue hacia la puerta.

—Buenos días, tía Gene.

Ésta la miró de arriba abajo.

—Eres una mentecata —gritó—. Algún día acudirás a mí y te ofreceré un puesto de lectora asalariada.

—Prefiero servir a un faquir, que ser tu lectora. ¿Es que aún no has humillado lo bastante a mi padre, qué pretendes humillarme a mí, considerando que es posible?

Tía Gene doblegó su rabia y se encaminó a la puerta. Ya en el umbral, giró su flaca figura y miró a la joven fríamente.

—Te vaticino muchas desilusiones. No creo que sea correcto por tu parte abusar de este modo de la hospitalidad de dos recién casados. Ya se cansarán.

Salió, y una doncella la acompañó hasta la puerta de salida.

Beatriz apretó los labios, se limpió de un manotazo los ojos y miró a lo alto con desaliento. No, no iba a ser nada fácil su vida.

Terminaba el fin de semana. No fue feliz, porque Beatriz no pudo salir de aquel ahogo moral que la aprisionaba, y ellos, pese a los esfuerzos realizados, no lograron hacerla ni siquiera reír.

Se hallaban solos en su alcoba. Eran las doce de la noche y nevaba sin cesar.

—Audrey —dijo Will, hundiéndose en el borde del lecho—, mañana, antes de regresar a Londres, le diré a tu amiga lo de Thomas.

Audrey se cepillaba el cabello ante el tocador. Veía a su esposo a través del espejo y apreciaba claramente su preocupación.

—¿No te diste cuenta? —insistió Will—. No hemos sido capaces de hacerle olvidar su tragedia. Yo creo que sólo cambiando de ambiente lo logrará.

—No es mujer para Thomas, ya te lo digo… Además, ¿qué crees que dirá tu amigo cuando vea a su esposa? No es morena, no tiene treinta años…

—Pero es joven y bella. ¿A quién amarga un dulce?

—Estoy harta de oírte decir que Thomas tiene criterio propio. Puede sentarle muy mal el engaño.

—No digas majaderías. Le sentaría mal si se le casara con una vieja y fea. Pero con una joven y guapa… ¿No conoces a los hombres, Audrey? ¿No sabes aún cómo somos?

—Por supuesto que sí. Pero tu amigo puede salirse de la serie.

—Tal vez lo parezca, pero en el fondo es como todos los demás. Decididamente, mañana se lo diré.

—¿Y si acepta? Dada la situación, y antes de ser una carga para nosotros y soportar la humillación de su tía, tal vez acepte.

—Escribiré a Thomas y le diré que ya le encontré mujer. Me casaré con ella, le compraré el anillo y se la enviaré por avión.

—Y tu conciencia…

—Audrey, que no obraré en contra de ella, con respecto a tu amiga.

—Si hemos de decidirnos por eso, prefiero hablarle yo. Lo haré mañana mismo.

Will se puso en pie y fue al lado de su mujer. La asió por la espalda, la besó en el cuello y le dijo quedamente:

—Gracias, mi amor.

Ella se volvió en el taburete y ofreció la boca a su marido. Se amaban mucho. Sólo deseaba para Beatriz un hombre como Will. No refinado, pero tan masculino que avasallaba y entontecía.

Se colgó de su cuello y susurró:

—Si fuera como tú...

—Para ti —dijo él en un suspiro— sólo puede haber un hombre como yo, cariño, yo mismo.

Más tarde, Audrey, acurrucada en los brazos de su esposo, decía bajísimo:

—Le pediremos a Beatriz que se tiña el pelo y se haga un moño.

—No, eso no. A Thomas le gusta la mujer tal como es.

—¿Y si te equivocas?

—No.

—Puedes equivocarte —insistió terca.

—Nunca. Conozco bien a mi amigo.

—Él dice en su carta...

—Thomas casi nunca dice lo que piensa. Tú déjame a mí... Prefiero estar a tu lado cuando le hables a Beatriz. ¿Por qué no le hablamos los dos?

Allí estaban los dos, en torno a la mesa, en el comedor caldeado, aquella mañana de domingo, mirándose interrogantes, preguntándose en silencio cómo abordar el tema.

Fue fácil, porque Beatriz, ajena a lo que ellos iban a decirle, manifestó de pronto:

—James me ha llamado por teléfono.

—¿Cómo? ¿No has dicho que se fue a Brasil?

—Parece ser que no es cierto. Sigue en Londres.

—¿Rectifica?

—No —dijo suavemente—. Ratifica, que es muy distinto. Dice que él no posee fortuna. Que yo estoy habituada a vivir como una princesa, y él no puede… ofrecerme esa vida. Dice asimismo que le perdone.

—¿Qué le has dicho tú?

—Que no se preocupe. He mentido. No sé de dónde voy a sacar un marido, pero lo cierto es que le dije que pensaba casarme pronto.

—¡Oh!

—¡Ah!

Beatriz apretó las manos nerviosamente.

—Ya sé que estuve desatinada, pero fue lo primero que se me ocurrió.

—Te sientes muy humillada —dijo Audrey sin preguntar.

Los miró desesperadamente. Will admiro el trazo de su boca, la inmensidad de sus ojos, la perfección de sus líneas, y pensó que a Thomas aquella muchacha le deslumbraría.

—Mucho —admitió sordamente—. Sería capaz de todo por… salir de este… de este momento tan crucial en mi vida.

Audrey y Will se miraron, pero ambos guardaron silencio. Los dos pensaron que no era oportuno hablar del asunto en aquel instante. Pero más tarde, cuando ambos sentados en la terraza, bajo el toldo, contemplaban la nieve que caía constantemente, al ponerse en pie para pasar al salón donde el calorcillo era más acogedor, Audrey siseo al lado de su esposo:

—Ahora es la ocasión. Yo te preguntaré algo, y tú iniciarás la charla sin dirigirnos a ella.

—De acuerdo.

Beatriz se hallaba en el salón, sentada frente a la chimenea encendida, contemplando absorta las chispas que saltaban en el aire.

Will y Audrey se sentaron frente a ella.

—Dame un cigarrillo, Will. ¿A qué hora regresamos a Londres?

—Al anochecer. ¿Quieres quedarte en la finca, Beatriz? —preguntó Will amablemente—. Si en Londres vas a encontrarte con James…

—Iré a Londres —decidió la joven—. Ya sé que tendré que enfrentarme con él un día u otro…

Hubo un silencio.

—Will —preguntó de pronto Audrey—, ¿has contestado a tu amigo?

—Es cierto. ¡Qué descuidado soy! No, no le he contestado. En realidad no sé que decirle. No es tan fácil como parece encontrar una esposa para un millonario.

Beatriz les oía distraída. Acababa de encender un cigarrillo y fumaba sin mirar a sus amigos.

—Thomas tiene cada cosa… Debe ser muy original, ¿verdad, Will?

—Muchísimo.

Beatriz preguntó como al descuido:

—¿Quién es Thomas?

—Un amigo que pretende casarse por poderes, con una joven que yo debo buscarle.

Beatriz parpadeó.

—¿Casarse… por poderes? No lo entiendo.

Audrey tomó la palabra.

—Thomas fue íntimo amigo de William toda la vida. Se separaron un día, hace bastantes de años. Thomas fue a Virginia City, y Will se quedó en Londres. Thomas compró un poco de tierra al cabo de unos años de intenso trabajo. Más tarde encontró petróleo en esas tierras. Se hizo millonario de la noche a la mañana. Imagínate… Creo que posee una de las fincas más hermosas y ricas de Virginia City. Cuida de su ganado y lo alterna con su trabajo en los pozos. Tiene cientos de empleados… Will se quedó en Londres y no se conformó con ser hijo de familia humilde. Empezó a negociar en la City y logró una fortuna. Ya sabes que el dinero llama al dinero. Cuando logró una pequeña fortuna, el dinero vino a sus manos como el agua al campo en invierno.

—Me hago cargo.

—Ahora Thomas le pide por carta a Will que le busque una esposa inglesa, se case con ella en su nombre y se la envíe por avión a Virginia City.

—Cosas de Thomas Wales —rió Will jocoso, como si la cosa no tuviera gran importancia—. Desea una joven parecida a ti. Es cierto, Beatriz —dijo cachazudo—. ¿No te interesa el asunto?

—Will —reconvino la esposa, como si se ofendiera.

—Sigue nevando —dijo por toda respuesta. Y tras un silencio, añadió al rato—: lo pensaré, Will. Debo reflexionar.

—Thomas es una gran persona. Un poco rudo tal vez, pero también yo lo soy, y Audrey es feliz a mi lado. —Se puso en pié—. Posee tanto dinero, que podría cubrir de oro a tu tía y a James… —Se acercó a la ventana y, haciendo rápida transición, añadió—: voy a quitar la nieve de la puerta del garaje. Me gusta la nieve. Hasta luego.

Al quedar solas, ninguna de las dos rompió el silencio durante un buen rato. Audrey fumaba silenciosamente, contemplando abstraída las caprichosas espirales que ascendían y descendían paulatinamente. Beatriz fumaba, pero no la miraba. Sus ojos se hallaban fijos, quietos, en sus propias manos.

—Bea, pienso que Will trata de que halles una solución. No le guía otro propósito.

—Lo sé. ¿Cómo es?

—¿Quién?

—Thomas...

—No le conozco. Will habla tanto de él, que creo conocerlo. Pero es muy distinto conocer en realidad, a suponer que se conoce.

—Ya.

—Tiene treinta y dos años, aproximadamente.

—¿Noble?

—Mucho.

—Dijo que rudo...

—Sí, como él.

—Will no es rudo.

—En el fondo, no. Como dice que es Thomas. Pero en apariencia son poco delicados. Ya ves la forma en que te lo dijo.

—Las cosas deben enfocarse con franqueza.

—Beatriz...

—No, no te asustes. No pienso aceptar. No estoy tan loca. Pero... Es bueno saber que tengo una salida...

—No le amas.

—No —dijo rotundamente.

—Amas a James.

—Sí —respondío sin tanta rotundidad, y añadió de inmediato—: ¿vamos a ayudar a Will a quitar la nieve de la puerta del garaje? Podemos vestir pantalones y calzar botas...

—Vamos, Bea.

Durante el resto del día no volvieron a abordar el asunto.

Audrey reprochó a su esposo la forma en que se lo dijo.

—Yo que estaba preparando el terreno para que Beatriz se interesara y saltase, tú, hala, allá te metes con tu abrumadora franqueza.

—A las cosas debe llamárselas por su nombre. Así he triunfado yo.

—Pero éste no es asunto de dinero, Will. Es del corazón.

—Cuando te declaré mi amor, lo hice serenamente y en momento tal vez poco indicado. Pero tú me aceptaste.

—Te amaba. Esto de Bea es distinto.

Se hallaban ya en la casa de Londres. Esperaban en aquel instante a Beatriz para tomar el té. Eran las seis de la tarde.

Beatriz apareció en la puerta del salón a las seis y diez.

Y nada más sentarse, una doncella anunció desde el umbral que llamaban a *miss* Beatriz por teléfono.

—Páseme aquí la comunicación, por favor —ordenó. Luego miró a sus amigos—. Si no os molesta.

—Qué cosas dices, Beatriz.

La joven asió el auricular.

—Diga…

Hubo una extraña crispación en sus bonitas facciones. Tapó el auricular y dijo de modo raro:

—Es James…

Tanto Audrey como Will hicieron intención de levantarse, pero una seña enérgica de Beatriz los contuvo, permaneciendo inmóviles en su asiento.

—Dime, James…

—…

—¡Oh, no! Te aseguro que no tengo tiempo.

—…

—Es tarde ya para rectificar. Sí, sí, ya sé que no puedes ofrecerme tu mano. Careces de dinero para mantenerme. Pero…

—…

—Voy a casarme con Thomas Wales, James…

Se oyó al otro lado una fiera exclamación. Beatriz, serenamente, colgó el auricular. Hubo otro largo silencio. Audrey y Will la miraban sin parpadear. Ella, con aquella majestuosidad personalísima, dijo:

—Puedes telegrafiar a tu amigo, diciéndole que ya tienes esposa para él…

—Beatriz…

—Puedes hacerlo, Will.

—Pero…

—Antes de ser de nuevo el juguete de James… —se mordió los labios—. Todo. Lo soporto todo.

—Le amas mucho —opinó Audrey, ya un tanto arrepentida de haber tramado aquel asunto con su esposo—. Nunca serás feliz con otro hombre.

—Tampoco lo seré con James.

—Tal vez él —dijo Will con cierta timidez— esté arrepentido.

—No lo está. Sigue diciendo que no puede casarse conmigo. Pero asegura que me ama.

—Eso es una majadería.

—Por eso mismo.

—Beatriz, Thomas no es un hombre como James.

—Me lo imagino.

—No es fácil imaginar a Thomas.

—Te digo que deseo casarme con él.

—Es que ni siquiera puedo ofrecerte una fotografía.

—Aun así.

—Beatriz —susurró Audrey cortada—, debes pensarlo más. Will y yo hemos querido ofrecerte una oportunidad. Thomas es un hombre excelente, pero no por serlo tenemos la seguridad de que te haga feliz.

—Os digo que sobran los comentarios con respecto a esto...

Will se quitaba los zapatos con mucha calma. Su esposa lo miraba y no lo veía.

—Will...

—Sí, sí —gruñó éste—. Ya sé lo que vas a decirme. Yo no creo tener la culpa. Hemos sido los dos demasiado ligeros.

—Beatriz está decidida.

—Por orgullo. Cometo un pecado mortal engañando a Thomas. Mi amigo desea una mujer libre de ataduras morales. Libre de corazón, para conquistarla a su manera. Esta muchacha es muy linda, pero ama demasiado a otro hombre.

—Eso no puedes decírselo a Thomas.

—Pero cometo una falta imperdonable.

—Will, Beatriz es mi amiga.

—Y Thomas mi mejor amigo.

La esposa fue a sentarse junto a él en el borde de la cama.

—¿Qué vamos a hacer, Will? —preguntó con voz ahogada—. Beatriz está decidida. La conozco. No se volverá atrás por nada del mundo.

—Lo sé.

—¿Y si escribieras a Thomas y le refirieras la verdad?

William Lomax miró a su mujer como si ésta fuera poco menos que idiota.

—Si hiciera eso —exclamó enojado—, Thomas nunca la aceptaría como esposa. Tú no conoces a Thomas. Siempre fue exclusivista. Lo suyo no osó tocarlo nadie jamás. Si tuviera la menor idea de que ella amaba a otro hombre, no la querría a su lado ni regalada.

—Entonces…

—Entonces me siento entre dos fuegos. Por un lado mi mejor amigo, a quien no debo engañar, y por otro Beatriz, que necesita de todas maneras una salida… a un gran problema de mujer.

—¿Qué decides?

Will pasó los dedos por la frente y limpió el sudor que la perlaba.

—No lo sé. Tengo que pensarlo. Mañana hablaré de nuevo con Beatriz. Le diré cómo es Thomas…

—No creo que consigas nada. James insiste, y Beatriz antes se dejaría matar que salir de nuevo con él. Y como se conoce, necesita poner un obstáculo por medio.

—Vamos a dormir, querida. Mañana pensaremos en ello.

Tres

—Una carta particular para usted, *mister* Wales —dijo Betty, la bonita secretaria de Thomas.

Éste, que ojeaba unos documentos, alargó la mano y, sin mirar, asió la carta. Del mismo modo, la introdujo en el fondo del bolsillo superior de su zamarra de cuero.

—Gracias —gruñó. Y siguió leyendo los documentos.

La secretaria carraspeó. Hizo un círculo nervioso con el lápiz en un papel que tenía extendido sobre el tablero de la mesa y, tras carraspear de nuevo, dijo:

—Es de Londres, *mister* Wales. Creo que esa carta la esperaba usted con impaciencia.

Thomas Wales hizo un gesto con los ojos y a la vez movió los hombros. Pero siguió estudiando los documentos.

—Esto —dijo de pronto— es un desatino. Dígale a *mister* Strahge que en estas condiciones no hay contrato. —Se puso en pie y con su habitual parsimonia encendió la pipa. Metió el dedo en la cazoleta y apretó el tabaco hasta casi quemarse—. Maldito cacharro. ¿Decía usted algo, *miss* Betty?

La miraba provocador al hablar. Betty se estaba habituando a sus miradas. Eran tan pecadoras como sus caricias.

—Que ha recibido usted una carta de Londres, señor.

—¿Sí? ¿Y dónde está?

—Se la he dado. La metió en el bolsillo.

Thomas palpó los bolsillos sin prisa.

—Diantre —gruñó—, no la encuentro. Usted que todo lo ve, *miss* Betty, ¿puede decirme dónde la metí?

—En el bolsillo superior de la zamarra, señor.

—¡Ah, sí! Aquí está. Hombre —exclamó regocijado—, es de mi buen amigo Will. Ya creí que se olvidaba de mí. —Miró de nuevo a la joven de aquella manera... y riendo preguntó—: ¿come usted esta noche conmigo, Betty?

—No, señor.

Thomas arqueó una ceja burlonamente.

—¿Y ese milagro?

—No me gustan las comidas con usted. Siempre terminan mal.

Thomas lanzó una risotada. Hizo una caricia a la joven y comentó sardónico:

—Al contrario, Betty. Siempre terminan bien. Pero usted no acaba de comprenderlo. Hasta luego, pues.

Se marchó con la carta entre los dedos y Betty lo siguió con la mirada hasta que desapareció. Casi inmediatamente se abrió la puerta y apareció Tom Petherick.

—Eres tonta, Betty. ¿Qué esperas de él? ¿No sabes lo que hace con todas las secretarias? No irás a pensar que tú eres la preferida. A todas las invita a comer y con todas pasa a los pisos... esos bonitos pisitos que ponéis nada más sentaros a la mesa de secretarias...

—Tom...

—Yo te amo —dijo Tom furioso—. ¿Qué más tiene ese tipo que yo?

Betty replicó sin rubor:

—Dinero. Tanto dinero, que puede comprarlo todo sin titubear. ¿Te parece eso poco?

—No pensarás cazarlo, ¿no?

—Por supuesto. Pero me conformo con llegár a ser su amiga preferida, que ya es algo.

Tom apretó los dientes, dio una patada en el suelo y se marchó furioso.

Por su parte, Thomas Wales, ajeno al debate que ocasionaba su impetuoso modo de ser, llegaba a su coche y lo ponía en marcha. Minutos después, y aún sin leer la carta de su amigo, se dirigía a su hogar, al otro extremo de los pozos petrolíferos; muy al extremo, pues su finca se extendía kilómetros y kilómetros en dirección norte, y los pozos lo hacían en dirección sur.

Aparcó el auto ante la escalinata principal y contempló con orgullo cuanto le rodeaba. Muchos años antes, él llegó a la comarca de Virginia City con seis libras en el bolsillo, unos cigarrillos, muchas ilusiones y la seguridad absoluta de que un día sería dueño de media comarca. Lo había logrado. Cierto que para ello hubo de pasar noches en blanco, dar buenos latigazos, comer poco y luchar mucho, pero al fin su meta había sido trazada y lograda. ¿Qué más podía desear un hombre? La casa era lujosa. A Thomas le gustaba rodearse de comodidad. Primero edificó la casita que hoy ocupaban los capataces. Allí vivió él mientras no prosperó. La primera escritura de aquel terreno que luego se convirtió en otro desleído, la ganó a los dados en un bar donde actuaban bailarinas con medio cuerpo desnudo. A él siempre le interesaron las mujeres, pero por aquel entonces le interesaba más consolidar su posición eco-

nómica, y ganó a los dados el primer palmo de terreno.
El segundo lo compró con su dinero y el tercero volvió a ganarlo a los dados. Después ya no fue preciso usar los dados. Encontró el primer yacimiento de petróleo y lo explotó a conciencia. Construyó la casa. Una casa palacio que llenó de todos los adelantos modernos, traídos éstos, hasta llegar a la casa, tras mil fatigas. Después, no mucho tiempo después, los objetos para la casa los traía el ferrocarril. Él fue uno de los promotores de aquel ferrocarril.

La riqueza acudió a él, amontonando dinero sobre dinero, como las moscas acuden a la miel.

Palpó la carta de su amigo, y una sutil sonrisa curvó el sensual dibujo de su boca. Lo único que le faltaba se lo enviaría Will desde Londres. Era seguro que en aquella carta le daría una respuesta concreta.

Atravesó el vestíbulo y se perdió en su espacioso despacho. Quedó erguido en medio de la ancha pieza y paseó la mirada en torno, con cierto orgullo mal reprimido. Las paredes estaban totalmente atestadas de libros. Cubrían todos los laterales de la fachada. Él jamás leyó uno de aquellos libros. La verdad es que no tenía tiempo. De vez en cuando leía la prensa y se enteraba de la marcha política del mundo. Lo demás le importaba un rábano. Lo que dijeran los clásicos y los escritores contemporáneos le tenía muy sin cuidado. Pero puesto que una biblioteca sin abundancia de libros era como un jardín sin flores, decidió adquirir los mejores libros del mundo, y allí fue recopilándolos.

Al fondo de la pieza había un tresillo forrado de cuero rojo, una chimenea que no se apagaba jamás, un diván y un canapé, amén de sillones tapizados en distintos colores. La biblioteca era acogedora. Hacía de despacho, de sala de estar y de rincón íntimo.

Thomas Wales se desplomó en un sofá, frente a la chimenea, y sin nervios rompió la nema. El hecho de que Will le hablara de su futura esposa en aquella carta no le inquietaba, ni precipitaba los latidos de su corazón. Era un hecho que debía ocurrir, y puesto que lo había decidido así, era seguro que Will le diría que la esposa había sido hallada a medida de sus deseos.

Antes de enfrascarse en la lectura de la carta, que por cierto no era muy larga, consideró conveniente encender la pipa. A él le agradaba fumar mientras se enteraba de cosas gratas.

Expelió una acre bocanada y leyó a media voz:

«Mi querido amigo Thomas: cierto que hacía mucho tiempo que no sabía de ti. Dos años por lo menos. Supongo que si dejaras de existir, sería el primero en saberlo; por tanto como sé que tienes salud, que sigues prosperando y ahora pretendes formar una familia propia, huelgan las noticias.

»He tratado de encontrarte una mujer a tu gusto.»

Thomas soltó una risotada.

—Parece que está tratando de una res —comentó con su brutalidad habitual—. Bueno, al fin y al cabo, ¿qué es una mujer sino una res distinguida? Veamos qué mujer me encontró.

«No fue fácil hallar una mujer en las condiciones que tú indicas. Hoy, casi todas las mujeres interesantes están divorciadas. Al fin, tras no pocas luchas, he logrado la que creo te interesa. Es una mujer bella, arrogante, no tan fuerte como tú deseas, pero estoy seguro que te agradará. Me casé con ella ayer por la mañana. Ya me dirás como he de enviarte a *mistress* Wales. Se llama Beatriz Mac Whirter. Ten cuidado, Thomas. Esto te lo digo a modo de precaución para tu futuro. Ten presente que la mujer no es un pozo de petróleo ni una res…

»La mujer es la mujer.»

—Pues lo parece —gruñó Thomas tranquilamente—. Qué poco elocuente eres, mi querido Will. ¿Desde cuándo la mujer no fue mujer?

«Espero tu respuesta para enviarte a tu esposa. Un abrazo de tu amigo,

»WILL.»

Thomas plegó la carta, se puso en pie y pulsó un timbre. Casi inmediatamente se personó un criado.

—Dile a Ruper Coote que le espero aquí.

—Sí, señor.

—Pronto.

El criado salió corriendo, y segundos después el administrador aparecía en el umbral de la biblioteca.

—¿Me llamaba, *mister* Wales?

—Ponga un cable a Londres.

—¿En qué términos, señor?

—En éstos: «Envíame esposa en el primer avión que salga para Virginia City. Un abrazo. Gracias. Wales.»

Mister Ruper levantó el lápiz del papel y se quedó mirando a su amo, como si éste fuera un fantasma. Thomas soltó la risa. Una risa bronca, muy poco educada.

—Sí —dijo—. Me he casado por poderes. Se llama Beatriz. Supongo que será como las demás mujeres. Largo, Ruper.

—Sí, sí, señor.

—Nada más.

Quedó solo y se frotó las manos.

—Bueno —gruñó—, ya soy un hombre casado, pero no siento sensación alguna que se diferencie de cualquier otra. De todos modos, debo prepararme para recibirla.

El cable se recibió al atardecer del día siguiente. Para entonces, ya nadie ignoraba que Thomas Wales se había casado por poderes con una inglesa. Esto causó estupefacción, pues Thomas no era hombre que respetara las tradiciones. Ni siquiera hombre con escrúpulos suficientes para preferir una inglesa a una americana.

Thomas fue a los pozos de petróleo como todos los días. Bromeó, riñó y gruñó como siempre. Apaleó a un criado porque le desobedeció, riño con el capataz y rió con el administrador, hizo el amor a Betty y pasó la noche junto a una amiga que tenía desde hacía mucho timpo. Es decir, que su vida ordinaria no varió en absoluto.

Cuando le llevaron el cable, se hallaba en el despacho invitando a Betty a comer.

—¿Qué es esto? —preguntó asiendo el papel entre los dedos. El criado portador del cable, jadeante, dijo que se lo había entregado el administrador.

Lo abrió y exclamó al instante:

—Ese avión llega aquí pasado mañana. Hace demasiadas escalas. ¿Por qué no la envió en una avioneta particular? —dicho lo cual ocultó el cable en el bolsillo y se inclino de nuevo hacia Betty—. Entonces qué, Betty, ¿viene o no viene conmigo esta noche?

—¿Cómo se atreve…? —replicó airada la secretaria—. Está usted casado.

—Diantre, es cierto. Pero aún no comprendo por qué existe diferencia.

—Compadezco a su mujer.

—¿Sí? ¿Y por qué? Tú lo hubieras sido de buena gana.

Reía sin esperar respuesta. Betty se mordió los labios y pensó que sería cosa de atender a Tom.

Al anochecer de aquel mismo día, Thomas llamó a la encargada del gobierno de la casa. Era una negra de porte imponente, muy cariñosa, que estuvo a su lado desde que ganó a los dados el primer palmo de tierra.

—Kay, mi esposa llega mañana.

—Ya sé que el amo se ha casado. Le felicito.

—¿Por qué?

—Porque se ha casado. Un hombre —añadió graciosamente— que como usted está tan solo y tiene tanto dinero, necesita hijos que continúen la casta.

—Muy práctica, Kay. Agradezco tus buenas frases.

—¿Qué desea el amo de mí?

—Que lo dispongas todo. La señora vendrá cansada y molesta de tanto viaje. Procura que todos los criados estén en el vestíbulo cuando ella llegue.

—Sí, mi amo.

—Dispón unas alcobas apropiadas para los dos.

—Son muy bonitas las que ocupa ahora el amo.

—Prefiero otras. Las del ala derecha, por ejemplo, que son totalmente independientes. Una sola cama, un salón contiguo, alhajarás según tu gusto y unas flores. ¿No les gustan las flores a las mujeres? Estoy seguro de que a la mía le gustarán.

—¿Algo más, amo?

—Nada. Que todo esté dispuesto para mañana.

A la mañana siguiente, Kay le pidió que subiera a ver las habitaciones. Le agradaron. Era, ni más ni menos, lo que él deseaba. Una alcoba espaciosa, donde uno podía moverse a gusto. Una sola cama anchísima, un salón y dos baños. Todo dentro de una pieza separada por biombos. Cuadros, flores y una jaula.

—¿Qué significa esta jaula? —preguntó frunciendo el ceño.

—En mi juventud —explicó Kay— serví en una casa de opulentos ingleses, y en la alcoba tenían una jaula con un canario.

—Nada de canarios —gruñó Thomas propinando una patada a la jaula—. Mi mujer no es una opulenta inglesa. Seguro que nunca poseyó un chelín.

—Pero puede tener alcurnia.

—La que tengo yo. Ya sabe Will que yo no necesito una mujer de alcurnia. Yo le pedía una mujer sencilla y corriente.

—Al amo le agrada la belleza.

—Será bella, pero no se parecerá a Betty ni a Lidia, ni a ninguna de ésas. Esta mujer será única para mí. Vamos, Kay, quita de ahí esa jaula.

—Sí, mi amo.

Cargó con ella y se marchó. Thomas miró alrededor con expresión analítica. Todo estaba a punto. Consultó el reloj. Las siete de la tarde. Empezaba a oscurecer. A las diez menos cinco llegaba el avión. Iría a buscarla en el *jeep*. Era el mejor vehículo para cruzar aquellos lugares cenagosos y llenos de piedras picudas.

Dio dos vueltas sobre sí mismo y contempló su imagen en el espejo.

Sonrió burlón. No era un tipo apolíneo, ni mucho menos. Él nunca quiso ser un tipo apolíneo. Le bastaba con ser un hombre, y lo era en grado superlativo. Ancho de hombros, delgado de cintura, las piernas largas y delgadas. Pecho ancho, velludo y fuerte. Tenía una cabeza arrogante, coronada por cabellos de un castaño oscuro, casi negro. Los ojos pardos, de un gris acerado, de recta mirada provocadora. Una boca relajada y unos dientes de lobezno hambriento, era, ni más ni menos, Thomas Wales.

El avión tomó tierra, y Thomas Wales, de pie tras la verja que separaba el campo del bar, miró interesado los viajeros que bajaban por la pasarela.

Una mujer entrada en años, de gordo talle, que portaba una sombrerera. Un hombre de pelo canoso, con un bastón en la mano y un maletín colgado del brazo. A juicio de Thomas tenía aspecto afeminado. Descendieron después dos mujeres, llevando un niño de la mano. El niño en cuestión lloriqueaba, quería al parecer el sombrero de su madre (suponiendo que lo fuera), que lucía una pluma cosida al fieltro.

Descendieron también dos caballeros con aspecto de ganaderos y otros tras ellos, que hablaban con alguien que caminaba tras él, con trazas de oficinista. Llevaba las gafas colgando en la nariz, usaba bigote de un rubio raído y un abrigo tan raído como su bigote.

Después una joven de pelo castaño y ojos claros. La distancia impidió a Thomas saber con precisión el color de aquellos ojos. Vestía elegantemente, cubría parte de la cabeza con un sombrero de fieltro muy femenino y llevaba en la mano un maletín de piel. La joven en cuestión bajó mirando a un lado y a otro. A Thomas no le llamó más la atención cualquier otro viajero. Era la última, y Thomas quedó de pronto con la boca abierta y el ceño fruncido. Todos se perdieron por la puerta de la aduana, y él, Thomas, permaneció un segundo en blanco, reflexionando a velocidad de vértigo. Por lo visto su mujer no había llegado. Del avión no había descendido ninguna mujer morena de treinta años, con aspecto serio. Una vieja, hombres, dos damas y un niño, luego una joven que no sobrepasaba mucho los veinte años.

Nuestro amigo giró en redondo y se encaminó malhumorado a su *jeep*. Tendría que poner un cable a Will, preguntándole por qué Beatriz Mac Whirter se retrasaba.

Con las manos hundidas en los bolsillos del pantalón, nuestro amigo saltó sobre el barrizal que se formaba ante la entrada del aeropuerto. Vestía pantalón de gruesa lana, aprisionado en altas polainas. Un jersey de lana subido, de un color pardo, y una zamarra de ante, atada a la cintura con una correa.

Hacía un frío intensísimo y la nieve cubría parte de las rocosas montañas que bordeaban el pueblo. Malhumorado y más bien decepcionado, nuestro amigo se dirigió a la oficina de la aduana, justamente cuando la joven del gorro de fieltro preguntaba a un empleado por Thomas Wales. Éste se quedó plantado ante la joven y el empleado, y exclamó:

—Yo soy.

La muchacha tenía los ojos azules. Unos ojos preciosos, pero a Thomas nunca le gustaron los ojos de gato en una mujer. No obstante, se la quedó mirando interrogante, mientras ella, sin parpadear, preguntaba de nuevo, esta vez ya dirigiéndose a él.

—¿Dice que es usted Thomas Wales?

—Así es. He venido a esperar a mi esposa y no ha llegado.

—Su esposa soy yo.

Thomas no dio un salto atrás, porque a él nunca le asustó nada. Pero sí que tuvo deseos de echar a correr.

—¿Usted? —preguntó tan sólo—. ¿Usted?

Beatriz aún no parpadeó. Se dio cuenta con horror, de que Thomas Wales era la antítesis de James Holland, pero no lo dijo. Era un hombre completamente opuesto al que ella anheló siempre por marido. Recordó las últimas palabras de recomendación de su amiga Audrey: «Bea, Thomas es un hombre un poco bruto tal vez, pero un gran hombre.» Era bruto, en verdad al menos su aspecto así lo indicaba.

—No me diga —saltó Thomas enfurecido— que la envía mi amigo Will.

—Me envía, en efecto, su amigo Will.

Thomas asió el maletín de la joven, mejor aún, casi se lo arrancó de las manos, y dijo:

—Me han engañado vilmente —gruñó—. Yo le pedí una mujer morena, y usted casi es rubia. Le pedí asimismo que tuviera treinta años, y usted no sobrepasa los veinte.

Beatriz era una muchacha de mundo y sabía hacerse cargo de las circunstancias. Con suave cortesía manifestó:

—Será mejor que discutamos eso en otro sitio. He viajado durante horas sin comer, y tengo sueño, apetito y estoy cansada. Tengo los papeles en regla. Me he casado hace tres días, y no estoy dispuesta a discutir en este lugar, ni mis años ni el color de mi pelo.

Thomas, refunfuñando, preguntó:

—¿Dónde tiene el equipaje?

—Aquí tiene el talón.

Casi se lo arrebataba de las manos. Señaló el *jeep* aparcado a no mucha distancia y ordenó:

—Es mío. Suba a él y espere. Salte como pueda por el barrizal para no mancharse sus primorosos pies.

Beatriz se mordió los labios y se encaminó al auto, entretanto Thomas se dirigía al depósito de equipajes.

Beatriz, muerta de pena más que de rabia, atravesó la parte húmeda del campo y trató de saltar el barrizal que la separaba del vehículo. Thomas, detenido ante la puerta del almacén de equipajes, observaba divertido la maniobra.

—Demasiado frágil —gruñó—. ¿Es que Will ya no me conoce?

Vio cómo la joven trataba de saltar el barrizal sin conseguirlo, y entonces, en dos zancadas, se plantó delante de ella. Sin preámbulos, con su habitual fiereza, la tomó en sus brazos, la alzó en vilo y hundió sus botas en el barrizal, cargando con ella.

—No creo que sea usted una esposa muy apropiada para mí —comentó caminando hacia el *jeep*.

Beatriz parpadeó entonces. Era un bruto en efecto, un bruto con fuerza hercúlea. Olía a hombre, a tabaco bueno, a jabón fresco y a loción cara. Sus manos eran finas y sus modales burdos.

La depositó en el interior del *jeep* mientras exclamaba:

—Ea, ahora espéreme aquí.

Sin esperar respuesta, giró en redondo y se encaminó de nuevo al almacén; reapareciendo minutos después, cargado con dos pesadas maletas de fina piel.

Las deposito en la trasera del vehículo y de un salto se colocó ante el volante. Entonces la miró un segundo, arqueó una ceja, gesto en él característico cuando analizaba sin resultados, y encendió la pipa. Como aún tenía ceniza, golpeó la cazoleta bajo la bota. Un acre olor se extendió por el vehículo. Thomas, advirtiéndolo, se echó a reír.

—Tú hueles a fineza. No me explico por qué Will cometió tal tontería. ¿Acaso puso un anuncio en el periódico?

Sin esperar respuesta puso el auto en marcha. El *jeep* dando tumbos se perdió barrizal abajo. Empezaba a nevar, y la noche se hacía cruda y oscura.

—No temas —rezongó—, vas en buena compañía.

—¿No sería mejor —murmuró Beatriz molesta— que nos tratásemos con más cortesía?

—¿Por qué? Según dices eres mi esposa.

—Claro que lo soy.

—Tengas o no treinta años, seas rubia o morena, eres mi esposa. Tendré que cargar contigo, mal que me pese. Ya veo que la esposa ha de elegirla uno. No eres de mi gusto. —Lanzó sobre ella una mirada analítica casi desdeñosa—. Detesto la fragilidad en la mujer.

—Dicen —opinó Beatriz, haciéndose cargo de las circunstancias y deseando allanar en lo posible las cosas— que la fragilidad es sinónimo de mujer.

—¿Si… qué?

—Sinónimo.

—Hace mucho que salí de Londres. No conozco esa frase.

Beatriz no respondió. Pensó en Audrey, en el apuro que pasó cuando le dijo que se casaría con el amigo de su marido. Audrey lo conocía, debió oír hablar tanto de él, que no ignoraba su modo de ser. Ella ya estaba casada, lejos del mundillo crítico de Londres, que era, a decir verdad, lo único que le interesaba. Claro que ahora, una vez lejos de Londres, se hallaba cerca de un peligro mayor. Aquel hombre que la miraba como si ella fuera una res.

—Espero —dijo Thomas al rato— que seamos buenos amigos. Ahora ya no nos queda nada que hacer, excepto adaptarnos el uno al otro. Yo soy católico y no soy de los que me divorcio. Uno se casa para cargar con todo, con lo bueno y lo malo que tenga su cónyuge. No creo que el color de un pelo de mujer y los años, más o menos, cambien el destino de dos personas. ¿No te parece?

A Beatriz lo que le parecía era que estaba viviendo una pesadilla, y pensó que sería grato despertar.

—Llegaremos en seguida —dijo Thomas sin esperar respuesta, como si ésta le importara un rábano—. Ya me contarás algo de tu vida cuando lleguemos.

—¿Algo de mi vida?

—¿Y por qué no? Si lo deseas, también te contaré yo algo de la mía. Apuesto a que no fue tan distinguida como la tuya… Siempre dije que no me casaría con una joven elegante, y ya ves… Uno no puede escupir al cielo. Casi siempre le cae en la cara.

Cuatro

Beatriz no pudo ver el paisaje a causa de la oscuridad. Sentía los vaivenes del *jeep*, lo que le indicaba que el camino era desigual.

—En esta parte de Virginia City —consideró Thomas el deber de explicar— no vivimos muy adelantados. La urbanización es bastante deficiente.

Ella no respondió. Pensaba en sí misma. En su padre, en su modo de vivir en Londres, en James... Desde que tuvo uso de razón, fue una muchacha mimada, halagada y envidiada. Alternó en los mejores salones. Vivió rodeada de lujo y sus pretendientes fueron tantos y tan distinguidos, que aún no se explicaba cómo pudo estar tan loca para casarse de aquel modo absurdo...

—Ahora salimos a la carretera —dijo Thomas, sin quitarse la pipa de la boca—. Ya se divisan las luces de mi casa. ¿Ves allí abajo?

Beatriz simuló que miraba. La verdad, no le interesaba ver. Sumida en un hosco silencio continuaba pensando en sí misma, y ahora en el hombre que iba junto a ella. Un hombre diferente a todos los que le hicieron el amor. Ella sentía odio por James, un odio mortal, porque le puso en evidencia ante toda la sociedad londinense, por su falta de consideración y de amor, pero… ese odio no la acercaba más al hombre desconocido, que de modo inopinado, absurdo, se convirtió en su marido.

Ella siempre fue admiradora de lo exquisito, lo delicado, y hete aquí que de la noche a la mañana se encontraba casada con un hombre basto, rudo, indelicado…

El auto enfilaba una ancha carretera desviada de la general. Al fondo, Beatriz divisó un palacio iluminado. El auto rodó despacio por un camino enarenado y fue a detenerse ante la escalinata. Thomas descendió presuroso y dio la vuelta al vehículo. Abrió la portezuela y con una sonrisa de aquellas tan suyas, indiferente y socarrona, indicó:

—Estas en tu casa, *mistress* Wales.

Beatriz a su pesar se estremeció. Hasta aquel instante no se dio cuenta de la enorme trascendencia del acto que tres días antes había realizado en Londres, junto a Will Lomax. En aquellos instantes de depresión moral junto a sus amigos, sólo pensó en huir. Huir de cuanto había sido su vida y su mundo, y la forma de lograrlo no la inquietó. Pero ahora se daba cuenta de que había estado loca o, por lo menos, le faltó el sentido hasta el extremo de encarcelarse sin medir las consecuencias.

Además, ya se había percatado de que Thomas Wales no era hombre a quien se le convenciera con frases más o menos amables y comprensivas. Thomas Wales tenía su propio criterio, una personalidad nada común y una falta total de consideración hacia una mujer desconocida, aunque de la noche a la mañana se hubiese convertido en su esposa.

—Baja —pidió—. Te voy a presentar a la servidumbre.

Descendió sin prisas. Miró a su alrededor con expresión, a su pesar, admirativa. Pensó si aún estaría soñando. Todo cuanto veía a la luz artificial de las lámparas y faroles de colores, parecía arrancado de los cuentos de *Las mil y una noches*.

Sintió los dedos de Thomas en su brazo y se dejó llevar como una autómata.

—Es vuestra ama —dijo Thomas, deteniéndose ante la hilera de sirvientes que se inclinaban hacia ellos—. Éstos, Beatriz —siguió Thomas sonriente—, son tus criados.

La joven movió los labios, pero de ellos no salió un sonido.

Los criados, uno a uno, fueron dando un paso al frente al tiempo de pronunciar su nombre.

La última en dar aquel paso fue el ama de llaves, la negra Kay, de rostro redondo y aceitunado y ojos dulces como los de un niño.

—Bienvenida, *mistress* Wales —dijo graciosamente—. Todos estábamos deseando conocerla.

Beatriz esbozó una triste sonrisa.

—Gracias —dijo tan sólo.

El hijo del jardinero, de unos seis años de edad, portando un ramo de flores, se lo entregó a Beatriz con unas frases entrecortadas que la joven ni siquiera entendió. Pero tomó el ramo entre sus brazos y puso los temblorosos dedos en la rubia cabeza del niño.

Después echó a andar pasillo adelante, seguida de Thomas. Oyó la voz de éste dando una breve orden.

—Que suban el equipaje de la señora a su habitación. —La miró a ella y la asió del brazo—. Vamos. Estarás cansada.

Se dejó llevar como un autómata. Al llegar al vestíbulo superior ya se había hecho cargo de todo cuanto la rodeaba en aquella casa. Criados fieles, cómodas estancias, lujo y calor. Todo, menos ternura y amor. Tal vez Thomas Wales estuviera dispuesto a darle lo que le faltaba, pero ella no estaba en disposición de recibirlo...

—Aquí está nuestra habitación —dijo él con la mayor sencillez, al tiempo de empujar una puerta.

Ésta cedió, y ambos se vieron dentro de la lujosa estancia.

Beatriz no vio nada, excepto la ancha cama que indicaba intimidad. Estuvo a punto de dar un salto y echar a correr, pero era lo bastante juiciosa y sensata para mantenerse inmóvil e indiferente en apariencia.

—Ponte cómoda —dijo él de nuevo, con la misma sencillez—, y cuando oigas el *gong* bajas a comer, o si lo prefieres vengo yo a buscarte.

—Bajaré.

—Menos mal —rió Thomas divertido— que he oído el sonido de tu voz. Es agradable.

Beatriz no respondió. Esperó que él se marchara, pero de súbito, Thomas se dejó caer pesadamente en una butaca, la miró de aquel modo peculiar en él, entre provocador y curioso y dijo:

—Quítate el abrigo. Aún no sé si eres esbelta o gordita.

Beatriz pensó con amargura: «Me va a tasar como si tasara una res o un pozo de petróleo».

Con ademán automático se quitó el abrigo.

Thomas no parpadeó. La joven era de una esbeltez extremada. Parecía que su talle iba a quebrarse totalmente a la menor sacudida.

Con ojos analíticos, aquellos ojos que ya conocían las secretarias y las cantantes de café, fue recorriendo lentamente, con una lentitud que a Beatriz le resultó agónica, las finas sinuosidades femeninas, y debió quedar satisfecho del recorrido, porque exclamó regocijado:

—No eres morena ni tienes treinta años. Apuesto a que apenas has pasado de los veinte, pero Will tuvo gusto… Diantre, sí, vaya si lo tuvo. Claro que —rió de aquel modo exagerado, que parecía romperle el pecho— no eres una muchacha vulgar. Y mejor hubiese querido que fueras del montón. ¿De dónde diablos te saco Will? No es fácil hallar una joven como tú, dispuesta a casarse por poderes con un hombre que desconoce. ¿Qué has hecho en Londres? ¿Has robado una joyería? ¿Has provocado un escándalo? ¿Te dedicabas a la venta de tu belleza?

—Óigame —gritó Beatriz sin poderse contener—, si sigue insultándome, cojo la puerta y tomo el avión de media noche.

Thomas se puso en pie con mucha calma. Metió las manos en los bolsillos del pantalón y se balanceó tranquilamente sobre las largas piernas. Sus botas manchadas de barro dejaron una enorme mancha sobre la alfombra.

—Además —comentó sin reparo alguno—, eres temperamental. Me gustas. Me gustas, pese al color ceniciento de tu pelo y al color de tus ojos. Nunca me gustaron los ojos de gata, pero tú… los llevas bien, en medio de tu hermoso rostro. En cuanto a tomar el avión de medianoche —añadió con el dedo enhiesto, apuntándole burlonamente— no lo menciones siquiera. Eres *mistress* Wales, y no te será nada fácil salir de esta comarca sin mi permiso. Yo le pedí una mujer a Will, pero no una determinada. Fuiste tú, tú sólita, con ayuda de Will, quien vino a mí. No fui yo a buscarte. Por tanto… tendrás que soportarlo todo. Yo no soy un hombre refinado, por supuesto, ni pretendo pasar por ello. Yo soy un hombre así, como me ves, y hay que tomarme como soy o no tomarme. Y puesto que tú me has tomado... siento decirte, jovencita, que tendrás que aguantarme.

Beatriz estuvo a punto de lanzar un alarido. Se dijo abrumada, que nada preguntó a Will antes de casarse. Apenas le escuchó cuando Will quiso explicarle; por tanto nadie la obligó a tomar aquella determinación. Fue sólo su orgullo de mujer herida, lo que la empujó a aquel desatino. Tendría, pues, que cargar con las consecuencias.

—No le amo —dijo Beatriz fríamente—. Me he casado con usted para huir de una ruina —añadió con crudeza—. Para huir de otro hombre a quien amaba.

Thomas se acercó a ella muy despacio. Su rostro parecía tallado en mármol. De súbito la asió por el brazo y la sacudió sin miramientos.

—Es muy cruel por tu parte decirme eso. No ya que no me amas. Lo sé. Nunca estuve enamorado, pero nadie se enamora de nadie, supongo, sin causas que justifiquen ese amor. Pero el hecho de que vengas a mí huyendo de otro... no me agrada. —La sacudió como si fuera una pluma—. No me agrada en absoluto, ¿me oyes? Y ten cuidado con lo que dices. Hay miles de mujeres en esta comarca dispuestas a endulzar mis horas, y puedo muy bien prescindir de ti. Pero si lo hago... ¡por mil demonios que jamás tocaré un hilo de tu ropa! Y si lo hago así... un día me buscarás como un perro y no te daré ni un mendrugo de mi cariño.

—Me haces daño.

—Piénsalo. Te doy de término hasta la hora de retirarte. O quieres vivir hoy tu noche de bodas, o por mil diablos que conmigo no la vivirás jamás. Tienes apenas una hora para decidirte. No voy a exigirte nada. No soy delicado, pero soy hombre y jamás tomé nada de una mujer a la fuerza. Eres mi esposa y seguirás siéndolo hasta el fin de mis días. Pero ten cuidado, muchacha, hay muchas formas de ser una esposa. Yo soy hombre —añadió soltándola y mirándola desde su altura— que necesita mujer. Estoy habituado a tomarla del color que sea. Me importa un rábano que sea morena o rubia. El caso es que sea mujer y llegue a mis sentidos. Ya ves, no te estoy hablando de modo académico. Soy un tipo sin escrúpulos en cuanto a mujeres se trata. Tú puedes ser la mujer que más quiera. No me sería difícil amarte. No lo hice nunca y tú eres mía, o por lo menos puedes serlo en exclusiva y eso es mucho para un hombre como yo. Ya lo sabes.

Dio un paso atrás sin que Beatriz, temblando aún, dijera una palabra. Ya en el umbral la miró de arriba abajo.

—El hecho de que hayas amado a otro hombre no me agrada, ¿me entiendes? No me agrada en absoluto. Tienes una hora para olvidarlo y centrar toda tu atención en mí. Sé que te será fácil amarme. Sin vanidad te diré que a mí me aman las mujeres.

Abrió la puerta con brusquedad, salió y cerró con un golpe seco tras Beatriz, aún como paralizada, dio un paso atrás y se dejó caer en el borde de una butaca. Ocultó el rostro entre las manos y permaneció así por espacio de varios minutos. Nunca supo cuántos. Oyó unos golpes en la puerta y se puso en pie como impelida por un resorte.

—Pasen —dijo con un hilo de voz.

Una mujer bajita y delgada, de unos cuarenta años, penetró en la estancia.

—Soy su doncella, *mistress* Wales —dijo suavemente—. Me llamo Ali. Vengo a prepararle el baño.

—Gracias.

—¿Le deshago la maleta?

—Sí, por favor.

Ali la colocó en el soporte para tal fin y procedió a vaciarla, colocándole los bonitos trajes en el armario. Beatriz, aún sentada en el borde de la butaca, contempló absorta el trabajo de la doncella. Todos aquellos modelos pertenecían a su época de esplendor y prosperidad. Su padre jamás le regateó un capricho. No podía explicarse aún cómo aquella torre que significaba su padre y su fortuna, se vinieron abajo de pronto tan estrepitosamente.

—Son muy bonitos —comentó la doncella, admirada.

Beatriz sólo esbozó una triste sonrisa.

¿Qué iba a ocurrir? Tenía que pensar en ello. Tenía que despojarse de la preocupación y la añoranza y pensar fríamente en su porvenir. Creía conocer ya un poco a Thomas Wales. Era preferible ser su amiga a ser su enemiga. ¿De qué forma podía ella convertirse en su amiga? No lo creía posible. En cambio era muy fácil hacerse su enemiga.

La doncella terminó de vaciar las maletas y luego se dirigió al baño.

—¿Qué vestido se pondrá la señorita?

—No pienso bajar a comer, Ali. Estoy muy cansada. Prefiero dormir.

—¿Se lo dijo así a *mister* Wales?

Asintió con un breve movimiento de cabeza, perdiéndose en el baño.

Vestía un camisón de un tono azul suave, y una bata de casa de gasa pura azul marino. En chinelas, con los castaños cabellos recogidos en un moño, sin pintura en los labios, más bien pálida y con expresión de autómata, esperaba hundida en una butaca, con las manos entrelazadas y la boca apretada con fuerza.

Pensó en los consejos de su confesor cuando fue a participarle sus planes. Ella era una joven católica. Conocía sus deberes. Pensaba cumplir cuando salió de Londres, pero… al conocer a Thomas Wales… Era un hombre diferente a todos. No era fácil amarlo, aunque él creyera lo contrario. No era nada fácil olvidar a James, aunque esté lo mereciera. En cuestión de amor, no es fácil olvidar cuando uno quiere. Es algo que entra en el corazón humano como el microbio mortal en la sangre. No se saca del cuerpo hasta que uno se muere. Eso le ocurría a ella con James y no podía, aunque se lo propusiera, admitir a Thomas en la intimidad de su vida, como se admite una taza de té o un bizcocho aunque repugne y luego se vomite.

El confesor le dijo que estaba obligada a cumplir con sus deberes de esposa, si es que estaba dispuesta a casarse. Ella se había casado, y de súbito sentía dolor. Un profundo dolor. ¿Qué iba a ocurrir? ¿Quién iba a vencer? ¿Su repugnancia personal, o su deber de esposa?

Oyó pasos en el corredor. Aquellos pasos sólo podían pertenecer a Thomas Wales. Acababa de conocerlo y ya le parecía que lo había tenido a su lado toda la vida para atormentarla.

Era injusta. Ningún otro hombre hubiera tenido la paciencia que tuvo Thomas Wales para escucharla. Un hombre puede tolerar que le digan que no le aman, pero jamás tolera que le digan que su propia mujer, sea cual sea la forma de haber llegado a él, ama a otro.

La puerta fue empujada y un Thomas Wales, indiferente, se cuadró en el umbral. El reloj del vestíbulo tocó en aquel instante las doce campanadas de la medianoche. Beatriz no se movió. Esperó sin que un músculo de su rostro se contrajera.

Thomas aún vestía su ropa ordinaria. Calzón de lana, altas polainas. Tan sólo se había quitado la zamarra y su fuerte tórax aparecía envuelto en un jersey de lana de color pardo.

—Bueno, supongo que ya habrás tenido tiempo de pensar.

Beatriz no respondió.

—Supongo asimismo —siguió Thomas con su habitual brusquedad— que estarás muerta de hambre. Aquí no merece la pena andar con remilgos. Uno se muere de hambre si no procura comer y desechar mimos absurdos.

—No tengo apetito.

—Ni de mí —apuntó con intensidad.

—Creo que debemos hablar con un poco de calma.

Por toda respuesta, Thomas se dejó caer pesadamente en una butaca y estiró las piernas. La alfombra se manchó de barro.

—Te escucho.

Beatriz se acordó de Audrey y Will. De su soledad, de la vileza de James. De su rabia cuando supo que se había casado. Pero aun así no fue capaz de decir que si demostraba nulo el matrimonio, se casaría con ella. Puede que la amase, pero era un cobarde. Un maldito cobarde. Claro que aun cuando le pidiera la anulación matrimonial, ella no le hubiera atendido. Ya no se trataba de sentimientos, sino de orgullo herido. Y ella era orgullosa. Tal vez fue éste su mayor defecto. No sabía dosificar su orgullo. Era extremista y así lo había demostrado.

—Te escucho —volvió a decir Thomas con frialdad—. No soy hombre de preámbulos. Aquí, en este instante, quedará bien solucionado nuestro porvenir en común.

—No puede usted...

—Es indignante que me hayan enviado una mujer como tú —gritó malhumorado—. Cierto que nunca fui un hombre de escrúpulos con respecto a las mujeres, y Will lo sabía, pero una cosa es pasar una noche con una mujer determinada, o con cualquiera, y otra es la pretensión de formar un hogar. Eso fue, ni más ni menos, lo que yo le dije a Will. No soy elocuente escribiendo, ni tal vez lo sea personalmente, pero para cualquier mentalidad le es fácil comprender lo que un hombre pretende a la hora de casarse.

—Tenía usted...

—Te digo que me trates de tú —se exasperó, no sabemos si por su desobediencia o por el fracaso que bruscamente se marcaba en su vida de hombre—. Y si vuelves a tratarme de usted, lleno la maleta con tus trapos y te envío con portes pagados a Londres a enfrentarte con ese hombre con figura de mono que dices amar.

—Dame una semana —dijo ella de pronto, con acento ahogado.

Thomas la miró fijamente.

—Una semana —repitió—. ¿Para qué?

Beatriz enrojeció.

—Para... para... hacerme a la idea de que... estoy casada contigo.

Thomas emitió una risita.

—Lo que no puedes hacer hoy, no lo harás dentro de una semana. Tal vez necesites una vida entera para comprenderme, y no es que sea difícil de comprender, es que me entrego o no me entrego, tal vez tu negación de esta noche sea suficiente para que jamás vuelvas a interesarme. Hoy me interesas —añadió rudo—. Eres bonita y será fácil amarte. Tal vez sumamente fácil.

Beatriz apretó las manos en el pecho, como si pidiera ayuda a alguien o a algo. Nadie escuchó su mudo ruego. Sentía sobre sí la quieta mirada gris de Thomas Wales, su marido.

—Tú eres un hombre sin escrúpulos, según dices —apuntó al rato con acento vacilante—. Yo soy mujer de muchos escrúpulos.

Thomas se echó a reír groseramente.

—¿Y te has casado con un hombre desconocido, amando a otro? ¿Eso es lo que vosotras, las mujeres, consideráis escrúpulos?

—Will me dijo…

—Will te dijo —atajó— que yo era un hombre rudo, que tenía mucho dinero. Pero no pudo decirte que fuera un ser apolíneo ni exquisito, porque no lo he sido ni en mi cuna de muchacho. A los diez años le propuse a una sirvienta que huyese conmigo. A los quince logré que huyera y, una semana después, la mandé al diablo. Como comprenderás, Will no pudo decirte que yo era un hombre delicado. Nunca lo fui.

Ella aspiró hondo, como si le faltara el aire. Con energía exclamó:

—Si no me tomas a la fuerza, teniendo todos los derechos de tu parte —se atrevió a decir—, es que aún te queda algún escrúpulo.

Thomas se puso en pie.

Tranquilamente, con una tranquilidad que asombró a Beatriz, exclamó:

—Te equivocas. No se trata de escrúpulos, sino de repugnancia. No la que tú mencionas, porque ciertamente no es así, sino porque siempre he tenido a gala ser un conquistador, y perdería ante mis propios ojos si tomara a una mujer a la fuerza, aunque tuviera derecho a ella.

—Si yo te pidiera que me concedieras una semana para habituarme a ti…

—Como hombre buen conocedor de la mujer, te doy un consejo.

Tómame esta noche y habitúate a mí en mis propios brazos, de lo contrario siempre les tendrás miedo y pensarás en los brazos de otro hombre.

—No puedo hacerlo.

Thomas la miró un segundo. Pensó que era bonita, seductora, joven… Tenía todo para ser deseada, pero la verdad, él no la deseaba aún. Era una novedad, pero no una necesidad.

—Temo, Beatriz Mac Whirter, que esa semana se haga eterna. Pero no lo dijo si aquella eternidad iba a hacerla él o ella misma.

—Buenas noches.

—Gracias.

La miró desde el umbral.

—No me las des. No merece la pena.

Salió y cerró tras de sí. Beatriz, aún temblando, oyó sus pasos serenos y seguros, perderse pasillo abajo.

Se hundió en el lecho tras haber cerrado la puerta, y trató de pensar, pero no pudo coordinar sus ideas. Sentía en las sienes duros golpetazos. No era capaz de conciliar el sueño.

Él se levantó y se sentó ante un pequeño secreter.

«Querida Audrey —escribió—: he llegado esta noche. A las diez, exactamente. He conocido a vuestro amigo. No se parece nada al hombre soñado por las mujeres como yo. Estoy sola aquí, son las dos de la madrugada. No sé qué decirte con respecto a mí. No tengo sentimientos definidos. Ni me repugna ni me interesa. Es terrible llegar a esta conclusión. Él se ha ido, tras una larga conversación, durante la cual le pedí una semana de tregua para hacerme a la idea de que soy su esposa, y me la concedió, aunque no sé de qué modo. De todas formas, aquí estoy, pensando en la forma de vivir… No es nada fácil.

»Dile a Will que su amigo será un gran hombre, pero que carece de sensibilidad.»

Se detuvo aquí con la pluma en alto.

¿Carecía de sensibilidad en efecto? Cualquier otro hombre con los derechos que le asistían, hubiera quedado a su lado, tanto si ella lo deseaba como si no.

Arrugó la carta entre las manos y con rabia la hizo pequeños trocitos que luego tiró a la papelera.

Empezó otra.

«Querida Audrey: he llegado esta noche. Thomas me estaba esperando. Es, como tú has dicho, un poco bruto en sus ademanes, pero delicado en el fondo…»

Con la misma rabia rompió también esta cuartilla y bruscamente se puso en pie y se lanzó en el lecho con el rostro entre las manos.

—No le conozco, no sé cómo es en realidad —susurró—. Sé que me inquieta su mirada.

Se durmió al fin.

A la mañana siguiente se levantó temprano. Vistió pantalones negros muy estrechos, largos hasta el tobillo y un jersey del mismo color, de cuello en pico, por donde asomaba un pañuelo de fondo blanco, con grandes lunares negos. Sin pintura en el rostro, pálida aún por la noche de insomino, esbelta y femenina, bajó a la planta baja. Los criados que fue encontrando a su paso la saludaron respetuosamente. Parecía un crío. Calzaba mocasines rojos y su aspecto frágil resultaba delicado.

Encontró a Kay en el vestíbulo, que llegaba del jardín cargada con un cesto de ropa mojada.

—Buenos días, ama —saludó Kay graciosamente, con su acento dulzón—. Está nevando. He tenido que recoger la ropa. Voy a colgarla en el desván.

—¿Ha salido el señor? —preguntó Beatriz quedamente.

Kay emitió una sonrisa.

—El amo sale casi al amanecer. Ha puesto cadenas al *jeep* y se ha ido a los pozos. Ya no volverá hasta la noche.

Sola todo el día. Sola tal vez estuviera mejor, pero si tenía que conquistar a Thomas Wales, no era aquélla la mejor forma de llegar, hallándose él ausente.

—¿Quiere desayunar? —preguntó Kay—. Daré orden en seguida de que la sirvan en el comedor.

—No tengo apetito aún. Voy a recorrer la casa.

—Como desee, amita. Hasta luego.

Cinco

Durante todo el día tuvo tiempo suficiente de recorrer la casa, de contemplar cuantas obras de arte encerrábanse en ella. La decoración poco vulgar, el gusto con que se colocó cada detalle.

Admiró el rincón de la biblioteca y los libros que se alineaban en los estantes, recubriendo todas las paredes. Sus autores preferidos se unían allí, como si durante años la hubieran estado esperando.

A mediodía, y tras haber recorrido toda la casa, desde el sótano al desván, incluyendo la alcoba de su marido, que era un marasmo de objetos masculinos, desde un calcetín a una pipa, salió al jardín y tras cubrirse con una capucha y vestir una zamarra de ante, último regalo de su padre antes de morir, recorrió desde las dependencias de los criados hasta el despacho particular del administrador. Éste, que se hallaba en su interior, se puso en pie y se inclinó profundamente.

—Pase, pase, *mistress* Wales.

—Ando recorriendo todos los rincones —dijo ella a modo de disculpa—. Me pierdo en estos laberintos. ¿Dónde están los pozos de petróleo?

—Oh, eso queda bastante lejos. Mire hacia allí, hacia el sur, ¿ve usted aquellos humos? Son las chimeneas de las oficinas. Estos días de tanto frío arden constantemente. Tendrá usted que tomar la carrera, pero hay dos caminos: uno es la carretera general, por donde se cargan los vagones, pero es un recorrido larguísimo, y el otro, por donde va *mister* Wales todas las mañanas. Aunque es un barrizal, estos días, cubierto de nieve. Hay que hacer el recorrido en *jeep* y usar cadenas.

—Ya.

—Tendrá que llevarla su esposo.

—Sí. Ya no le molesto más, *mister*…

—Coote.

—Buenos días, *mister* Coote.

Comió sola y al atardecer se encerró en la biblioteca, con un libro entre las manos. La chimenea ardía incesante. Era grato aquel rincón. Hundida en un diván, sentía en los pies el calorcillo reconfortante.

«Sería maravilloso —pensó aún como inconsciente— vivir en este lugar junto a un hombre al que yo amara y que él me amara más que a su vida.»

Sacudió la cabeza. Era absurdo cuanto pensaba. Desde el día anterior no hacía más que luchar por aclarar sus pensamientos, y éstos se iban de su mente, para retroceder después con absurdas y estúpidas ideas.

Centró su atención en la originalidad de Molière. Por unos instantes se enfrascó en la lectura, viviendo aquellos episodios, pero de súbito oyó los pasos que se hacían ya inconfundibles. Lo imaginó alto, fuerte, dominador, con aquella mirada que desnudaba. Con las botas sucias, llenas de barro y nieve, la sonrisa sardónica en los labios.

Inmediatamente se abrió la puerta.

—¡Caramba! —exclamó Thomas burlón—. Ya has encontrado mi rinconcito.

—Hola —dijo ella sin mirarlo.

Thomas avanzó y se quitó la zamarra, tirándola de cualquier forma en una butaca. Arrastró otra butaca con el pie y se dejó caer en ella pesadamente, con un suspiro.

—No hay nada como el hogar —gruñó—. Uno se pasa el día metido en aquella ratonera y piensa constantemente en esta chimenea, en este sofá y en esta pipa.

La tomó de una caja, la llenó, apretó el dedo en la cazoleta y con deleite la encendió y aspiró.

—¿Qué tal lo has pasado, inglesita?

Ella se ruborizó a su pesar. Era la primera vez que le ocurría. Jamás con James se había ruborizado. Se sintió molesta por ello. Claro que James jamás la miró de aquel modo. Los ojos de Thomas, fijos ahora en su cuerpo, parecían desnudarla.

—Muy bonita figura —rió Thomas cachazudo—. Pero a mí me gustan más vestidas de mujer.

—Los pantalones son cómodos para estos lugares.

—Puede que sí —admitió alzándose de hombros.

Ya no volvió a mirarla.

—¿Qué lees?

—A Molière.

—¿Y quién es ése? Bueno —comentó jocoso, antes de que ella contestara—, no me consideres un patán. Lo soy hasta cierto punto, sobre todo con respecto a la literatura. Ya te diría Will que nunca pasé del tercer grado. —Y como si no le interesara el comentario de ella, extendió las piernas sobre otra butaca, entrecerró los ojos y recostó la cabeza en el respaldo de la butaca que ocupaba—. Tengo los huesos molidos. Pero voy a salir. Pienso pasar la noche en Virginia City con unos amigos —suspiró—. ¿No comeremos luego?

A Beatriz no le molestó en absoluto que se fuera a Virginia City con unos amigos. Pero sí la molestó que lo dijera con tanta naturalidad. Un hombre casado nunca ha de seguir haciendo vida de soltero. Con egoísmo pensó en sí misma, en la actitud adoptada la noche anterior.

—Creo —dijo poniéndose en pie con cierta violencia— que mi deber es preguntarle a Kay cómo va la comida.

—Perfectamente —y riendo añadió—: no es mucha molestia, ¿verdad?

No respondió.

Salió más humillada de lo que ella misma se creía.

Los ojos de Thomas, aquellos ojos que pecaban al mirarla, la siguieron hasta que desapareció. Cuando la puerta se cerró tras ella, apretó los labios. Le gustaba aquella muchacha. Le gustaba mucho... Como jamás le había gustado ninguna otra.

No parpadeó, porque tenía un dominio absoluto sobre sus facciones, pero sí se quedó estupefacta, con los labios un poco entreabiertos y las pupilas medio ocultas bajo la celosía de sus pestañas.

Thomas estaba allí, en el umbral de la biblioteca. Un Thomas diferente. Tan diferente, que era difícil asociarle con el hombre burdo, de burda ropa, que fue a esperarla al aeropuerto.

Éste vestía un traje gris de irreprochable corte. Camisa blanca, corbata discreta. Llevaba en una mano el gabán y en otra el paraguas. Moreno, atezado el rostro, con aquellos ojos grises, tan claros en un rostro curtido, más que un granjero adinerado parecía un magnate inglés, dispuesto a presidir una reunión financiera.

—Hasta mañana, Beatriz —dijo él tranquilamente—. Voy a divertirme.

La joven sintió como si le golpearan el cerebro. Pero sólo dijo:

—Que lo pases bien.

Thomas agitó el paraguas, hizo una leve inclinación de cabeza y se marchó. Al rato, Beatriz oyó el motor del auto que arrancaba. Impulsiva, después de apagar la luz, se acercó al ventanal. El auto de Thomas patinaba en la nieve.

«Ojalá no pueda marchar», pensó intensamente.

Y asustada se miró a sí misma, y luego, como horrorizada de su súbito deseo, fue a sentarse de nuevo junto a la chimenea. Apretó las sienes con ambas manos. Le dolían. ¿Por qué? ¿No era normal que él se fuera, puesto que ella no lo amaba y así se lo dijo? ¿Esperaba acaso que un hombre tan duro como Thomas, tan sin escrúpulos, puesto que él mismo dijo no tenerlos, se arrastrara a sus pies pidiendo por favor una caricia? ¿Qué se había creído?

Atormentada sin saber por qué, pensando en él más que en sí misma, se puso en pie y volvió a aproximarse al ventanal.

El auto ya no estaba allí. Los faroles del parque iluminaban las huellas que las ruedas, al patinar, habían dejado en la nieve.

Había dormido mal y se levantó casi al amanecer. Apenas había luz del día. Bajó despacio las escalinatas.

Vestía la misma ropa que el día anterior, y no se sentía con fuerzas ni para pintarse. La esperaba una vida sin emociones, triste y amarga. Oyó voces en el vestíbulo y se detuvo en mitad de la escalinata. Las voces partían de la puerta de la cocina. Oyó su nombre. Nunca se detuvo a escuchar, pero aquel día por lo que fuera, ella no sabía por qué, una fuerza superior la detuvo allí en mitad de la escalera, con la mano en el pasamanos, crispada y fría.

Era Kay. Decía a alguien con pesadumbre:

—No cambiará nunca. ¿Cómo se lo consentirá ella?

Otra voz que no conoció, pero que supuso la de una criada, respondió:

—La doncella dice que duermen separados.

—Sí, eso ya lo sé. Pero no te olvides que tal vez sea la moda inglesa. Un matrimonio puede dormir en alcobas diferentes, y unirse cuando les dé la gana.

—Eso es cierto.

—Lo peor es la vida del amo. Las mujeres le vuelven loco. Lo extraño es que no le vuelva la suya, siendo tan bella y tan fina.

—Todos los hombres hacen igual.

—¿Con quién salió esta noche? Hace media hora que llegó, con el traje arrugado, sin sombrero, sin gabán... No sé cómo se las arregla, pero siempre pierde el gabán.

Beatriz retrocedió y corrió hacia su alcoba. Se quedó allí como paralizada. Thomas estaba allí, tendido en su lecho aún caliente, fumando su pipa, con una sonrisa burlona en los labios.

—No podía dormir en mi cama —explicó tranquilamente— y he venido a verte. ¿Por qué madrugas?

—No me parece muy correcto que hayas venido a mi cuarto.

—No lo es mucho —admitió Thomas con la misma tranquilidad.

La miraba a hurtadillas. No quería mirarla de frente. No quería que ella supiese que necesitaba verla para diferenciarla de todas las demás. Era cuestión de amor propio. Él nunca tuvo amor propio con las mujeres, pero de súbito, este despertaba para Beatriz Mac Whirter, la muchacha que se casó con él por amor... a otro. No esperaba que a él le ocurriera semejante cosa. Un día podría ver a Will y le rompería las narices. Vivía tranquilo y, de pronto, la llegada de aquella joven perturbaba su paz. Su bendita paz.

—Has vuelto a ponerte los pantalones —dijo él sonriente.

Beatriz no pudo contener su ira.

—Si pretendes dejarme en evidencia delante de tus criados...

Apretó los labios, como si la frase la quemara.

Thomas se sentó en el lecho y balanceó un pie. Vestido con aquel pijama de popelín a rayas, resultaba más íntimo, menos imponente, pero de todos modos a ella seguía imponiéndole.

—¿Qué dices?

—He oído una conversación en el vestíbulo. Hablaban de ti...

—Siempre hablan de mí —se desperezó sin ningún miramiento—. Estoy cansado. Es una lástima que un hombre se canse cuando se divierte.

Se puso en pie y pasó ante ella sin mirarla.

—Ya no resulta ni siquiera acogedora tu cama. Hasta luego, Beatriz.

—Has pasado la noche con otra mujer.

Era lo que Thomas esperaba.

La miró quietamente. Sin interés y sin deseo. Beatriz notó que apenas la veía. Esto la humilló de nuevo.

—En efecto. ¿Tienes algo que decir?

¡Oh, sí! Tenía que decir miles de cosas si se diera gusto a sí misma, pero su orgullo de mujer se lo impidió.

—Di —apremió él—: ¿tienes algo que decir? Tal vez si ella hubiera sido sincera, en aquel instante habría terminado el problema. Pero Beatriz no lo fue. Tan sólo, con frialdad, comentó:

—Lamento que seas tan de este mundo.

—Si no lo fuera —rió Thomas cachazudo— nunca hubiese prosperado. Buenos días, Beatriz. Tienes nombre de reina —comentó jocoso—. Y porte de princesa —la miró de arriba abajo con cierto desdén—. Eres demasiado fina para un tipo tan rudo y tan de este mundo como yo.

—A ti te gustan las mujeres fáciles.

—¡Qué sabes tú lo que me gusta a mí!

Y salió pisando fuerte.

No era fácil vivir junto a un hombre como Thomas, sin pensar en él constantemente. Beatriz comprendió que jamás volvería a pedirle que hiciera una vida normal junto a él. La situación, pues, era harto delicada. ¿Cómo reaccionar ante Thomas sin provocar su ironía? ¿Cómo advertirle de que cuanto más se divirtiera con otras mujeres, más lejos la dejaba a ella?

Aquel mismo anochecer, cuando Thomas regresó de las oficinas, enclavadas frente a los pozos de petróleo, Beatriz se hallaba en el salón contemplando absorta unos cuadros. Lo sintió tras ella y giró en redondo.

Lucía un modelo de fina lana de un tono verde oscuro, ceñido a la cintura y cayendo en dos pliegues profundos hasta las rodillas. Calzaba altos zapatos. Resultaba extraordinariamente atractiva y, si bien Thomas lo apreció, no hubo en sus ojos expresión alguna que lo confirmara así. Dejó resbalar la mirada por ella, como si la dejara resbalar por un cuadro que no le interesara en absoluto.

—He vuelto antes —dijo— porque salgo ahora mismo de viaje. ¿Quieres prepararme la maleta?

Ella no respondió enseguida. Tampoco Thomas esperó su respuesta.

—En mi alcoba encontrarás la maleta y ropa.

Giró en redondo y echó a andar en dirección a las escalinatas. Beatriz lo siguió como un autómata. Para entonces, ya se había hecho cargo de la enorme personalidad de aquel colono. Comprendió el porqué Will la casó con él. No era Thomas hombre que pasara inadvertido para ninguna mujer, aunque ésta estuviera enamorada de otro. Imaginó por un segundo a Thomas convertido en James. Jamás, jamás Thomas la hubiese dejado sola a la muerte de su padre. Con dinero o sin él, Thomas era de los que sabían luchar. ¿Por qué pensaba en todo aquello si la actitud de Thomas era inadecuada y descortés, e indiferente para con ella? ¿Qué evolución se estaba provocando en su ser?

Estremecida de espanto llegó a la alcoba de su esposo. Entró en ella seguida de él y, sin mirarlo, preguntó:

—¿Dónde tienes la maleta?

Veía a Thomas a través del ancho espejo que presidía la alcoba. Se quitaba la zamarra en aquel instante, y quedaba en mangas de camisa. Parecía dispuesto también a quitarse ésta.

—Ah, en lo alto del armario. Arrima una silla.

—Será mejor que me la bajes tú.

Thomas lo hizo sin rechistar. La depositó abierta sobre la cama.

—Pon en ella tres camisas, dos mudas interiores, calcetines y un par de zapatos. Mete también mi traje de etiqueta.

Beatriz quedó con los ojos entornados, mirando fijamente la maleta. ¿Tenía Thomas un traje de etiqueta? ¿Para qué? ¿A qué fiesta asistía? ¿Y para qué lo necesitaba en un viaje de negocios? Se dio cuenta en aquel instante de que Thomas no dijo qué clase de viaje pensaba realizar.

—¿Dónde... tienes esa ropa?

—Ahí, en los cajones. Es hora de que vayas haciéndote cargo de las cosas de tu marido. Cuando un hombre se casa, le molesta continuar en manos de una doncella.

No respondió. Abrió cajones, fue sacando ropa. Mientras ella llenaba la maleta, Thomas se quitaba la camisa. Quedó con el tórax desnudo. Un tórax fuerte y velludo. Como si ella no estuviera presente y la intimidad entre ambos fuera extremada. Luego se perdió en el baño, dejando la puerta abierta.

Se duchaba. Beatriz oyó el agua caer con monotonía. Lo imaginó resoplando bajo el agua. Le oyó lanzar una sorda exclamación y, en seguida, aparecer envuelto en un albornoz de felpa.

—¡Diablo —gruñó—, estaba ardiendo! ¿Qué diablos hacen en los depósitos? —la miró como si se hubiera olvidado de ella—. ¡Ah! —rió, sacudiendo la cabeza y salpicándola de agua—. Aún estás ahí. ¿Ya está todo?

—Faltan los zapatos.

—Allí, en aquel cajón. Hum, qué poco sabes de las cosas de los hombres.

—¿Adónde vas? —preguntó ella, yendo hacia el cajón indicado.

—A Nueva York.

—¿Por muchos días?

—No lo sé. Tal vez te llame por teléfono.

Si le hubiera pedido que le acompañase, ella habría aceptado. Cogió los zapatos, los envolvió en un fino papel y los llevo a la maleta. Entretanto, Thomas, tras el biombo, se ponía los pantalones. Salió de nuevo con el tórax desnudo.

—Dame una camisa, Beatriz.

Así, con toda naturalidad, como si fueran un matrimonio normal y corriente, hartos de conocerse el uno al otro. Y no se conocían. No se conocían en absoluto. Ella estaba turbada. Tal vez Thomas lo sabía…

Tomó la camisa y se la entregó.

Thomas reía divertido.

—Apuesto a que nunca le diste una camisa a tu padre.

—Tenía mayordomo y ayuda de cámara.

—Pero no supo conservarlo. Es lo lamentable en algunos hombres. —Se ponía la camisa ante el espejo. Aún chorreaba agua su cabello—. Vale más no tener ayudantes, y saber conservar la posición económica.

—Te prohíbo que hables de papá.

—Perdona —levantó el cuello para abrochar el botón. Era demasiado pequeño aquel ojal—. ¿Quieres echarme una mano?

Ella avanzó como un autómata.

—Levanta el cuello —pidió con un hilo de voz.

Thomas así lo hizo. Sentía el perfume personal de aquella muchacha. Su femineidad, que no era vulgar. Sus dedos en su cuello… Pero no se movió. No hizo movimiento alguno que acortara aquella turbadora distancia.

Sin bajar la cabeza, dijo:

—No trato de censurar a tu padre, Beatriz. Dios me libre. Además, no sé las circunstancias que concurrieron en su ruina. Hay mil cosas que arruinan a un hombre sin que éste se percate de ello.

—Gracias por tu consideración.

—No me las des. No merece la pena, porque si algún día me entero que tu padre se arruinó por negligencia, lo censuraré rotundamente, te duela o no te duela.

—Ya veo que eres personal hasta para eso.

—Ciertamente. ¿Está abrochado el botón?

Ella se apartó.

—Sí —dijo—. Y la maleta llena. No creo que me necesites.

—Sí, aún te necesito. Seguro que sabes hacer nudos de corbata.

—También tú sabes —replicó airada—. Ayer lo lucías impecable.

Thomas fue al armario y extrajo una corbata.

La puso ante sus ojos y ladeó un poco la cabeza para mirarla.

—Me lo hizo mi secretaria —replicó con naturalidad—. Hace muy bien los nudos. Pero ahora necesito llevar ésta y no lo tiene.

Beatriz sintió de nuevo que algo se retorcía dentro de sí. Pero no lo demostró. Tal vez Thomas esperaba un estallido, pero éste no llegó.

—No sé hacerlos —dijo fríamente, yendo hacia la puerta—. Nunca estuve casada.

—No te vayas lejos —rió él cachazudo—. Te buscaré para despedirme de ti.

Beatriz se alejó sin mirar hacia atrás. Thomas entornó los párpados. Vuelto hacia la puerta la miró, hasta que desapareció. En la estancia quedaba su perfume. Un perfume exquisito y personal como ella misma. Se preguntó nuevamente por qué Will le envió una mujer como aquélla, conociendo sus gustos y sus reacciones.

—Anudó la corbata y lanzó una breve mirada al espejo. Sonrió entre dientes. Se preguntó perplejo en qué iba a terminar todo aquello. Aquella muchacha le gustaba cada día más. Era su esposa... Él no era hombre de comedias. Se alzó de hombros. Necesitaba algún tiempo para reflexionar y nada mejor que la distancia.

Púsose la americana y salió de la alcoba. En el vestíbulo encontró un criado y le pidió que llevara la maleta al auto. Siguió en línea recta hacia la biblioteca. Estaba seguro de encontrarla allí. En efecto, Beatriz de pie ante el ventanal miraba hacia fuera.

—Ya estoy listo —exclamó Thomas, entrando y situándose tras de ella—. Hace un día pésimo, pero supongo que el avión llegará a Nueva York sin novedad.

Beatriz se volvió lentamente. Lo miró. Thomas pensó que jamás en toda su vida vio ojos como aquéllos. Y él era hombre que conoció muchos ojos de mujer. Eran azules como turquesas y al mirar se entornaban de modo especial, provocando en él una serie de cosas sin sentido y sin nombre. Dado el espesor y la negrura de sus pestañas, al entornarlas se diría que no había en sus ojos más que aquéllas.

—Nos hemos casado un poco a lo loco —dijo él de súbito, inesperadamente—. Pero nos hemos casado. Es muy fácil casarse, pero es muy difícil descasarse, dada nuestra calidad de personas conscientes, aunque en nuestro matrimonio demostramos ser dos aturdidos —se echó a reír de aquel modo peculiar en él y añadió—: yo, por elegir mujer por medio de un amigo; tú por aceptarme sin medir las consecuencias. Pero puesto que ahora ya está hecho, lo mejor es que seamos amigos... Ya sé que tú amas a otro hombre, me lo dijiste. No ha sido muy caritativo por tu parte —añadió con cierto tonillo irónico que molestó a la joven—. Pero tampoco eso tiene gran importancia. —Consultó el reloj—. ¿Nos despedimos?

—Que tengas feliz viaje.

—Seguro que me echarás de menos.

En efecto, tenía Thomas Wales demasiada personalidad para pasar inadvertido en su propia casa.

—¿Crees que me echarás de menos? —preguntó Thomas con acento divertido, buscando los ojos femeninos.

Beatriz sostuvo valientemente aquella mirada.

—Ya veo que no quieres responder —lanzó una risotada—. Si fueras gentil —añadió sin dejar de reír— me acompañarías al aeropuerto y traerías el auto a casa.

—Será mejor que lo dejes en alguna parte —replicó Beatriz indiferente—. No soy tan valiente como para conducir por esos caminos.

Thomas, por toda respuesta alargó la mano.

—Hasta la vuelta, bonita aristócrata —y burlonamente añadió—: eres demasiado fina para un tipo tan duro como yo. Si he de decir verdad, a veces, desde que estás a mi lado, me da la sensación de que no sé dirigirme a una mujer. Es extraño, que Will, conociéndome, me haya casado con una muchacha como tú.

—Si te divierte humillarme…

—¿Divertirme? —de pronto asió los dedos femeninos y tiró de ella. Beatriz quedó pegada a su pecho. Echó la cabeza hacia atrás, pero Thomas, con firmeza, la asió por el cuello y la acercó a su rostro—. No me divierte. No me divierte en absoluto —dijo bajísimo. Y después, casi sin mover los labios, añadió—: voy a besarte, es normal en un hombre que se va…

Beatriz no pudo, o no supo, o no se atrevió a reaccionar. Recibió el beso en plena boca. Fue como si un fuego abrasador la quemara de arriba abajo. Sintió la sensación de que todo daba vueltas a su alrededor y el corazón empezó a palpitarle, bajo aquel poder ardiente de su marido. Jamás, en ningún momento de su vida, creyó que pudiera haber un hombre como aquél, tan acaparador tan avasallador, tan… Él la soltó y quedó jadeante junto a ella. La miró de modo especial y sin decir palabra, giró en redondo y se marchó.

Beatriz, impulsiva, inconsciente aún, se llevó los dedos a los labios doloridos. La personalidad inconmesurable de Thomas Wales parecía que quedaba allí, en su boca y en su pecho.

Seis

Tuvo tiempo más que suficiente en aquellos quince días, de reflexionar. Pero no lo hizo. Le aterraba detenerse en sus propios pensamientos. James la había besado alguna vez. Fueron besos que se reciben y se olvidan casi a la vez. A Thomas no. Thomas no era hombre que pudiera pasar inadvertido en una vida de mujer. Ella no creía ser ni mejor ni peor que otra cualquiera. Pero era una mujer y, durante aquellos quince días, sintió en su boca el ardor de los labios de Thomas.

Asustada se preguntó si lo amaba. ¿Puede una mujer en veinte días, amar a un hombre, cuando se ama a otro, o se cree amar?

Durante aquel tiempo no recibió una llamada ni una carta de Thomas. Tal vez los criados o el administrador supieran más de Thomas que ella. No preguntó, ni nadie le dijo nada. Fue adiestrándose en su labor de ama de casa. Cambió algunas costumbres, dirigió el hogar, y todos parecían deseosos de complacerla.

Aquella noche, hallándose en la biblioteca, una doncella la interrumpió advirtiéndole que la llamaban por teléfono.

—Páseme aquí la comunicación.

Era su rincón preferido. La chimenea ardía sin cesar, y sobre la mesa de centro se hallaba el aparato telefónico. Asió el auricular y preguntó:

—¿Diga?

—Hola.

Aquel breve «hola», lo hubiera conocido entre mil. Se estremeció a su pesar. A velocidad de vértigo, pensó que la voz de Thomas la turbaba. Pensó asimismo, si ya no sería una muchacha espiritual. Siempre lo fue, y de súbito sentía algo extraño en ella. Como si la atracción física de Thomas la entonteciera. No era normal en ella aquella agitación. Apretó los dedos sobre el auricular y dijo, haciéndose la indiferente:

—Parece que estás muy cerca.

—Y lo estoy.

—¿Dónde?

—En la oficina. He venido en mi avioneta particular. La he adquirido en Nueva York. ¿Serías tan amable de venir a buscarme a la oficina? Ya conoces el camino. Es sólo sacar el *jeep*, tomar hacia la izquierda y seguir recto.

—Será mejor que duermas ahí.

—Entonces ponme con Coote. No puedo dormir aquí. Esos condenados dejaron las chimeneas apagadas y el frío es intenso. Tengo sólo una turca donde dormir y apenas hay mantas.

—Está bien.

—Avisa a Coote.

Colgó sin responder. No avisaría a nadie. Iría ella. Se puso en pie con energía y consultó el reloj. Las doce en punto de la noche. No era una hora muy apropiada para andar por la calle. Pero no importaba. Ella era valiente.

Se dirigió a su alcoba, buscó una zamarra en el armario y se la puso. Vestía pantalones oscuros y botas altas. Había cabalgado por la ladera buena parte de la tarde y no tuvo deseo alguno de cambiarse.

Se cubrió la cabeza con un gorro de lana y salió al parque con las llaves del *jeep* en la mano. La nieve se había deshecho y los caminos aparecían secos, pero el frío era tan intenso, que las aguas de los charcos se habían congelado.

«Tendré que conducir con sumo cuidado —pensó mientras subía al vehículo—. Las pistas de Londres, por donde yo corría a diario, son muy distintas a esto...»

Aparcó el auto a pocos pasos de lo que supuso la oficina. Había luz en una ventana. Descendió y presurosa se dirigió a la puerta de entrada. Estaba entreabierta. Sólo tuvo que empujar y penetrar en su interior.

—¿Quién anda ahí? —preguntó Thomas desde el interior.

No respondió. Se guió por aquella voz. Empujó la puerta, tras la cual suponía se encontraba su marido, y entró. Thomas, que manipulaba en una cocinilla de gas, en mangas de camisa, un poco despeinado y sonriente, dio la vuelta en redondo y exclamó regocijado:

—Has venido, muchacha. Muchas gracias.

Ella, en la puerta, parecía desafiarle, lo que causó un conato de sonrisa en la boca sensual de su marido.

—No te quedes ahí parada. Vengo de viaje. Hace más de quince días que no me has visto y ni siquiera me saludas.

El beso... Fue como si lo recibiera en aquel instante. Hasta creyó sentir el estremecimiento de la mentida posesión. Se agitó cual si Thomas la tocara en aquel instante.

Thomas dejó la cocinilla y se acercó a ella en dos zancadas. «Que no la besase de nuevo, que no la tocase…»

Thomas no lo hizo. Con las piernas abiertas, poderoso y contemplativo, se la quedó mirando con cierta sorna.

Estuvo a punto de decirle: «He ido a Londres, ¿me entiendes? He conocido por boca de Will hasta el más mínimo pormenor de tu vida. También he conocido a James, si bien él no me conoció a mí. Es imposible que una mujer como tú haya pensado un solo instante, en un birria como ese tipo.» Pero no dijo nada. No le pareció oportuno.

La asió de la mano y exclamó asombrado:

—Estás como la nieve.

Beatriz se desprendió.

—El tiempo no está como para sentir calor.

—Ciertamente. Toma asiento. Vamos a tomar café. Creí que vendría Coote a buscarme…

—No me pareció propio…

Él la miraba. La miraba de tal manera, que Beatriz sintió la sensación de que la desnudaba de pies a cabeza. De súbito dio la vuelta y se dirigió de nuevo a la cocinilla de gas.

—He venido a buscarte —dijo ella ahogadamente.

No le agradaba aquella intimidad. Aquella intimidad la inquietaba. Creía conocer un poco a Thomas Wales. Cada día lo conocía un poco, y lo temía. No temía sus bofetadas, la verdad; temía sus besos y sus burlas. Al fin y al cabo, ella era tan sólo una mujer. Apenas sabía nada de los hombres, pero, después de conocer a Thomas, se daba cuenta de que lo suyo con James había sido un juego de niños mimados por la fortuna. Esto era distinto.

Muy distinto. Thomas era un hombre absorbente y dominador. Tenía un poder extraño para las mujeres.

—Siéntate ahí en la turca, Beatriz —pidió él con acento natural—. Te voy a servir un café.

—Creo que lo mejor será regresar.

—Después. ¿Tanto te inquieta la soledad conmigo? Se irguió como si la insultara.

—No existe intimidad.

Thomas emitió una risita. Con las dos tazas llenas en las manos, avanzó hacia ella y se sentó en el borde de la turca.

—Toma —dijo mirándola de cerca—. Toma, muchacha. Y ten un poco de calma. He llegado a este lugar, frío como un témpano.

Ella, como sugestionada, asió la taza y tomó el café de un sorbo. Thomas era más alto que ella. Aun sentado a su lado, la dominaba. Dejó de mirarla y tomó a su vez el café. Después le quitó la taza de la mano y la depositó sobre una mesa. Permaneció sentado junto a ella, mirándola quietamente. Sin decir nada le asió una mano entre las suyas.

—Estás fría.

—Deja…

—Muy fría.

Mientras hablaba iba acariciando la mano y el brazo. Beatriz sintió que todo rodaba en torno a ella. La caricia de Thomas en su brazo era como un pecado, pero no pudo, o no quiso, o no supo apartarlo de sí. Cuando sintió los dedos de Thomas bajo su zamarra, se agitó y entrecerró los ojos. Thomas la asió contra sí. Buscó su boca. Con el pie apagó la luz.

—Déjame —pidió ella en un gemido.

Thomas rió. Era su risa como una caricia íntima, muy íntima. Después sintió su boca en la suya. Fue como si el mundo se detuviera allí. Su mano delgada y nerviosa se agitó en la espalda de Thomas. Él dijo quedamente, íntimamente: —eres tan fina…

Segundos, minutos o siglos… Beatriz nunca, jamás, aun después de transcurrido mucho tiempo, supo cómo había ocurrido todo aquello. Fue de lo más sencillo y natural a la vez y, sin embargo, ni fue natural ni fue sencillo.

No obstante, era lo bastante mujer para darse cuenta perfectamente de que no tuvo toda la culpa Thomas. Él era un hombre y tenía todos los derechos sobre ella. Obró con entero derecho, y ella… no fue capaz de alejarlo de sí. Cuando ambos se miraron, casi al amanecer, Thomas parecía muy serio. Ella temblaba aún en sus brazos.

Thomas la soltó y pensó en Will.

«No creo que ame a James. Tal vez ella lo piense así. Pero no es James capaz de apoderarse de un corazón como el de Beatriz Mac Whirter.»

Y Audrey dijo: «Ten cuidado con ella, Thomas. Ya veo que te interesa de veras, porque de otro modo no estarías aquí. Pudiste venir a casarte. ¿Por qué no lo hiciste? Beatriz es una muchacha exquisita, nacida en cuna de oro. Todo en la vida le sonrió hasta ahora… Ten mucho tacto para tratarla.»

Mucho tacto. A la hora de la verdad, todas las mujeres eran iguales. Él sabía, cuando la llamó por teléfono, lo que iba a ocurrir. Y ocurrió tal como lo pensó. Cierto que Beatriz se estaba convirtiendo en la única mujer de su vida, pero… había amado a otro. A un aristócrata como ella.

La soltó y fue a encender la luz.

Beatriz con acento ahogado pidió:

—No la enciendas.

Thomas quedó como paralizado. Se preguntó en qué circunstancias iba a continuar su vida. Él, como hombre exclusivista en cuanto a lo que era suyo, tenía que reaccionar de algún modo. Jamás podría olvidar aquellas horas pasadas junto a Beatriz. No era su mujer como las demás mujeres. Beatriz era muy distinta. Al menos para él lo era.

—Vayamos a casa —dijo ella con un hilo de voz.

Se sentía humillada, y a la vez… a la vez… no podía ni pensarlo para sí misma, pero lo cierto es que a la vez se sentía como desvanecida en el aire. Como si no fuera ella, como si una extraña dicha le hiciera daño.

—Vamos, pues —dijo él.

Y a tientas buscó su mano, pero no la encontró.

Entonces, sin ningún miramiento encendió la luz. Beatriz estaba allí, de pie ante la puerta, mirando hacia el exterior con expresión hipnótica.

—Vamos —dijo él roncamente.

Tampoco la joven se movió. Thomas dio la vuelta sobre ella y se la quedó mirando interrogante.

—¿Qué debo decirte? —preguntó malhumorado—. ¿Pedirte perdón?

—No.

—¿Entonces? ¿Por qué esa actitud? Yo soy un hombre y tú una mujer. Eres mi mujer.

Beatriz apretó los labios. No podía reprocharle, pero en el fondo de su ser se sentía como si la apaleasen, como si la hubieran humillado infinitamente.

—Beatriz, yo soy un hombre real —gruñó—. ¿Eres una muñeca?

—Te has olvidado de que hay mujeres diferentes. Para ti fui como una secretaria.

No lo había sido, pero no le dio la gana de decírselo.

—Vamos —se impacientó—, vas a tener que aprender mucho.

Caminó delante de ella. Beatriz le siguió como si la empujaran. Al acomodarse en el *jeep* empezaba a amanecer. Recostó la cabeza en el respaldo y cerró los ojos. Thomas puso el vehículo en marcha y dijo seguidamente:

—De ti depende todo. Nuestra vida matrimonial empieza o termina hoy. No soy hombre de remilgos. Me enseñaron desde muy joven a admitir las cosas tal como son. Tú dirás. De ti depende todo.

Beatriz no respondió. Sentía deseos de llorar. Unos terribles deseos.

Thomas, malhumorado, volvió a decir:

—No sé si te amo o te deseo —rezongó—. ¿Pero qué importa lo uno o lo otro, si de cualquier forma que sea estamos casados y debemos vivir el uno para el otro? No creo que haya amor sin deseo; ni deseo sin amor.

Beatriz cerró con fuerza los ojos.

Como no contestaba, Thomas se cerró en un silencio hostil. Al llegar la miró cuando ella bajaba del *jeep*. Los criados empezaban a moverse por la casa.

—¿Has decidido algo, Beatriz?

—Tengo… Tengo que pensar… Thomas apretó los labios con fiereza.

—Ten presente una cosa —exclamó entre dientes, apuntándola con el dedo enhiesto—. Yo no te voy a preguntar lo que has pensado. Fíjate bien en mí. Ya me conoces un poco más. No soy un muñeco. Si no lo piensas en este instante… tendrás que decírmelo cuando lo pienses, y no soy hombre que entienda por medias palabras. Hay que decírmelas todas, y tal vez te resulte violento por tu condición de mujer.

Beatriz no se dio cuenta aún de que aquello era como una sentencia. Creyó que todo iba a ser más fácil, mucho más fácil. Pero Thomas no era hombre, como él mismo había dicho, de paciencia y preámbulo.

—Tengo que pensar —gritó ella ardientemente—. Tengo que pensar. Estoy... —se pasó los dedos por la frente—. Estoy aturdida. No sé si echarme la culpa a mí misma o echártela a ti.

—Los dos la tenemos por igual. Quiero que sepas también que no estoy arrepentido de nada. Pero ten presente esto. Si no decides ahora nuestra vida en el futuro, tendrás que venir a decírmelo cuando lo hayas pensado, y no será muy halagador para ti.

Por toda respuesta, Beatriz giró sobre sus talones y se encaminó al vestíbulo. Thomas sintió pena. Una pena jamás experimentada hasta aquel instante, pero firme en su personalidad de hombre indomable se quedó allí, plantado en la terraza, contemplando absorto el ir y venir de los criados que empezaban su trabajo mañanero.

No lo vio hasta aquella misma noche.

Lo esperaba para comer. Thomas entró en el comedor a las diez en punto. Vestía traje de calle y por su aspecto, Beatriz comprendió que iba a salir. Sintió como si el piso se deslizara a sus pies. El solo pensamiento de que pudiera besar y acariciar a otra mujer como la había acariciado y besado a ella, la estremecía de dolor. Claro que creyó que Thomas, cuando ella lo mirase, se convertiría en un hombre vencido y dominado por la pasión como aquel amanecer..

—Hola —entró él diciendo—. ¿Cómo andas de humor, querida?

Ella se puso como la grana. Mil recuerdos vividos horas antes le subían del corazón a la cara. Pero Thomas, al parecer, no se enteró de nada. Para él, vivir con una mujer íntimamente unos instantes, era tanto como para otro fumarse un cigarrillo. Al menos ella, humillada en lo más vivo, lo consideró así.

—Estoy bien —dijo entre dientes.

—Te sienta magníficamente ese traje. ¿Dónde lo has comprado?

—En Londres.

—Londres es una ciudad maravillosa, ¿no? No hay patanes como yo.

—¿Te burlas?

—¿Concibes que de ti pueda burlarse un pobre gusanito como yo?

¿Es que ya había olvidado que ella… que ella…?

Apretó los labios. No respondió. Thomas desplegó la servilleta y procedió a dar comienzo a la comida. Durante ésta habló de todo. De los pozos de petróleo, de las oficinas, de las reses, de la casa, de los criados y de su viaje a Nueva York… Soslayó hábilmente la conversación íntima, y cuando finalizó la comida, se puso en pie, dio la vuelta a la mesa, se inclinó hacia ella y la besó en la cabeza.

—Hasta luego, querida.

Estuvo a punto de lanzar un grito. ¿Adónde vas? ¿Con quién vas?

Pero no lo hizo. Se dio cuenta en aquel instante, de que Thomas era duro como un peñasco. Podía ser amante, apasionado y ardiente, pero también era frío como un témpano.

Thomas salió sin esperar respuesta. Al rato, Beatriz oyó el motor de su coche perderse parque abajo.

En su alcoba, se tiró de bruces sobre la cama y ocultó el rostro entre las manos.

«¿Qué me ocurre? ¿Por qué esta desesperación y esta ansiedad? ¿Le amo?»

Se sentó en la cama y miró ante sí. Le amaba. Ni James ni ningún otro serían capaces de alejar ya de su corazón aquella ansiedad; aquel anhelo que le roía las entrañas y la empequeñecía.

¿Y por qué, pues, si le amaba no se lo dijo la noche anterior? ¿Por qué cuando él le preguntó... no le asió de la mano y lo admitió en su vida con todo el corazón? ¿Por qué?

—¡Porque soy una estúpida! —susurró como para sí—. Porque estoy aún asombrada de mí misma. Porque en aquel instante en que él deseaba saber lo que yo pensaba, no podía o no sabía pensar, porque me sentía... me sentía como trasladada a un mundo diferente.

Ir a él y decirle... No podía humillarse hasta ese extremo. Él tenía una personalidad inconmesurable. pero ella también tenía la suya y no podía plegarla a los caprichos de Thomas.

«Necesito olvidarme de todo esto. Necesito saber que soy yo de nuevo. Que todo en mí es diferente, pero auténtico. Necesito...»

Ocultó de nuevo el rostro entre las manos. Al rato, más serena, pero consumida por los celos y la rabia, se puso en pie y procedió a desvestirse.

—Caerá de nuevo —susurró mirándose en el espejo—. Sé que me necesita. Lo he visto y sentido por mí misma. Volverá a mí y me preguntará, y entonces yo le diré… le diré… que lo necesito tanto como él pueda necesitarme a mí.

Con esta convicción se tendió en la cama, cerró los ojos y pensó en él. Un estremecimiento la recorrió, y le pareció vivir de nuevo aquellos enloquecedores momentos de la oficina.

Madrugó mucho. Empezaba su papel. Lo había meditado bien la noche anterior, manteniéndose despierta hasta casi el amanecer.

Decidida, calzada con chinelas. Beatriz Mac Whirter se encaminó a la alcoba de su marido. Empujó la puerta entornada y penetró en su interior con aire resuelto. Todo su aire juvenil, decidido y femenino, se detuvo en seco. La cama de Thomas estaba intacta. La alcoba se hallaba vacía.

Giró en redondo. Una gran palidez cubría su semblante. El solo pensamiento de que Thomas viviera aquella noche con otra mujer, la desquiciaba.

Se encaminó a la puerta y encontró a Thomas en el umbral, riendo divertido.

—¡Beatriz! —exclamó—: ¿de dónde sales con esa ropa tan… tan fresca…?

La miraba, pero sin emoción y sin deseo. Era una mirada cansada e indiferente.

Nunca podría dominarlo. Se dio cuenta en aquel instante, de que para vivir tranquila con Thomas Wales había que tomarlo como era realmente, y la verdad es que era un desastre, y ella no estaba dispuesta a ser una muñeca de cera en sus manos.

—Ya veo que has pasado la noche fuera.

—Sí —admitió Thomas—. Llego ahora mismo.

Así, como si dijera que venía de la oficina de hacer una nómina.

—¿Hay alguna novedad, Beatriz, para que madrugues tanto y acudas a mi humilde alcoba?

Se sintió doblemente humillada.

—Déjame pasar.

Thomas se apartó tranquilamente.

—No pensaba impedírtelo. Oye..., ¿quieres venir conmigo a la oficina dentro de unos instantes?

¿A la oficina, donde se hizo una mujer de repente?

Pasó ante él, y Thomas la dejó marchar. Quedó riendo, pero cuando la puerta se cerró tras ella, apretó los puños y lanzó una exclamación ahogada.

—Pretende dominarme —gruñó—. Pues no ocurrirá así, aunque me muera por ella. Y me muero. ¡Me muero, maldita sea!

Al rato, ya vestido con ropa de faena, salió de su alcoba y se dirigió a la de su mujer.

Beatriz se vestía tras el biombo.

—¿Vienes o no vienes? —le gritó él.

Beatriz no sabía ser coqueta. Al menos nunca lo fue, pero empezó a serlo. La necesidad de estabilizar su vida junto a Thomas, aquel coloso de voluntad de hierro, era perentoria.

Recordó haber visto una película en que la mujer, para conquistar al marido, aparecía ante él vestida en combinación. Y como en aquel instante aún no se había puesto el vestido, salió de tras el biombo con la mayor naturalidad.

Thomas parpadeó, pero intuyó el propósito femenino y se quedó aparentemente tan tranquilo. Riendo comentó:

—No es bonita esa combinación.

Beatriz estuvo a punto de asir el biombo y tirárselo a la cabeza.

—¿Vienes o no vienes conmigo?

—No voy.

—Oye —dijo lanzando sobre ella una mirada que apenas la rozó—, no salgas con esa pinta. Estás fatal.

—¡Márchate!

—¿Por qué te pones así?

La pobre Beatriz estuvo a punto de lanzar un gemido. Ella, que creyó desvanecer todas aquellas pesadillas; que creyó que su marido no volvería a mirar a otra mujer, y hete aquí que ni siquiera le llamaba la atención medio vestida.

Thomas se encaminó a la puerta. Se detuvo en el umbral. Encendió la pipa, y con ella en la boca, murmuró:

—Supongo que te vestirás antes de salir.

—Pienso salir así.

La midió con la mirada. Un buen observador hubiera notado que estaba a punto de mandar su voluntad al diablo.

Pero Beatriz, la pobre, era muy bonita y muy femenina, pero no muy observadora, al menos con respecto a Thomas Wales.

—Espantarás a los criados. Hasta la noche, querida.

—Te vas sin dormir...

—El sueño para mí es un mito —alzó la mano—. Adiós. Vístete, vas a coger frío.

Salió con los puños cerrados. Subió al *jeep* con deseos de matar a alguien.

Siete

Lo supo un mes después. Se horrorizó. ¿Qué reacción iba a ser la de Thomas? No pensó decírselo. Esperaría cuanto fuera preciso. Se encerró en su alcoba y permaneció en ella todo el tiempo que Thomas pasó en la oficina. Reflexionó cuidadosamente, si bien no sacó nada en limpio. Ella era en aquella casa el ama del hogar, pero con respecto a su marido, no tenía ascendiente ninguno. Apenas si lo vio durante aquel mes. Thomas se pasaba el día en la oficina. Por la noche, o bien salía o se iba a la cama aduciendo un cansancio insoportable. Se diría que huía de ella, pero Beatriz no lo consideró así.

Will, de haberlos visto reaccionar a los dos, hubiera dicho a su mujer: «Son demasiado iguales. Dos fuerzas poderosas que chocan, pero que terminarán por encontrarse, por complementarse. El día que esto ocurra no habrá fuerza humana que los separe. Pero aún no se han comprendido. Son demasiado orgullosos los dos. Ella no se pliega, no es sincera. Él no se deja dominar, no es sincero.»

Pero Will no estaba allí. Will había recibido un abrazo de su amigo y una recomendación. «No intervengas bajo ningún concepto. Yo la domaré y ella me domará a mí, pero solos, sin intervenciones ajenas.»

Y Will parecía ignorar que dos meses antes había casado a la amiga de su mujer con su mejor amigo.

Y entretanto, Beatriz rumiaba su pena y a la vez una gran alegría. La pena de amar sin ser amada y la alegría de sentirse futura madre.

Esto era, ni más ni menos, lo que sentía Beatriz en su ser aquella noche, cuando. Thomas llegó a casa a la hora de la cena y fue a buscarla a la biblioteca.

—¿Estás ahí, Beatriz?

Ella, no contestó.

Era terca. Thomas la hubiera matado, para adorarla después, dócil y buena. Viva, era difícil imaginar a Beatriz Mac Whirter dócil y buena. Claro que él aún la recordaba de aquel modo… ¿Por qué no podía seguir siendo igual que en aquellos instantes? ¿Por qué habían sido tan breves?

Penetró en la biblioteca. Ella tejía un jersey.

Thomas se sentó frente a ella y se inclinó hacia adelante.

—¿Para quién es?

—Para ti. Arqueó una ceja.

—¡Caramba, Beatriz…! ¿Desde cuándo te preocupas por mí?

—¡Bah!

—Sí, ¿desde cuándo? ¿Sabes que a veces pienso que estoy soltero?

«Porque quieres.»

—Para los efectos lo estás. Pero vas a tener un hijo.

No pensaba decirlo y lo dijo con la mayor sangre fría. Iba aprendiendo de él. Como si nada en la vida le interesara demasiado.

Notó que Thomas iba poniéndose poco a poco en pie, para caer de nuevo sentado en el sofá o como un fardo. Notó asimismo que le costaba esfuerzo mantenerse sereno.

Extendió las manos hacia la chimenea y comentó a lo tonto:

—Hace frío en la calle.

Ella lo miró, Thomas esbozó una estúpida sonrisa.

—De modo que… un hijo. Es… es una gran ventura.

—¿Sólo tienes eso que decir?

Thomas se puso en pie y fue a buscar tabaco a la caja de laca, al otro extremo de la pieza. Se mantuvo inclinado sobre la tabaquera, como si no tuviera cosa mejor que hacer.

—¿Quién confirmó esa noticia?

La pregunta salió como un suspiro de su boca.

—Nadie.

—Iremos al médico mañana mismo —decidió—. No quiero hacerme ilusiones.

—No supuse —dijo ella dominando su emoción— que el tener un hijo significara tanto para ti.

Él se volvió. Llevaba la pipa en la boca, y el humo que salía ella le obligaba a cerrar un ojo.

—No me conoces —dijo entre dientes—. Ya lo sabes. Creo habértelo dicho. No me conoces.

—No haces nada para que te conozca.

—Lo que tú deseas que haga.

—¿Es… un reproche?

Se sentó de nuevo frente a ella. Si alguna emoción, sentía en su pecho, no se confirmaba en su semblante impasible, rígido, tal vez movido por una de aquellas sus sonrisas indefinibles.

Beatriz desolada, pensó que nunca llegaría a conocerlo bien. Creyó conocerlo en una ocasión y la figura que creyó real en sus brazos se desvaneció después como el humo en el aire.

—Mañana iremos al médico —dijo de nuevo—. O si lo prefieres traigo el médico a casa.

—Prefiero ir a la clínica.

—Iremos los dos.

Cuando salieron, subieron al auto y Thomas dijo, al tiempo de empuñar el volante:

—Ten sumo cuidado. Recuerda que lo que llevas dentro de ti, es la mayor esperanza de mi vida.

—¿Acaso crees que no es la mía?

—No puedo saberlo. Es mi hijo y me detestas.

—Dame un cigarrillo —pidió ella por toda respuesta. Y una vez lo encendió fumo despacio, diciendo ahogadamente—: pienso que nos detestamos mutuamente, ¿tenía que saber que… que lo amaba?

¿Qué nube destructora se interponía entre los dos?

Thomas la miró un segundo. Nunca le pareció a ella tan poderoso como en aquel instante. Moreno, atezado el rostro, grises los ojos, cuadrada la boca… Aquella boca que al besar se convertía en una caricia intensísima… ¿Por qué no volvió a besarla? ¿Por qué decía que le detestaba, si como hombre experimentado que era…? ¿Por qué no se comprendían y, sin embargo, se necesitaban? Ella lo necesita a él, aunque nunca, jamás se lo diría. Él… ¿no la necesitaba a ella? Nunca podría olvidar aquella noche en la oficina. Una noche que jamás volvería a repetirse. ¿Por qué? ¿Por qué no eran sinceros el uno con el otro, ahora que había entre los dos un lazo indisoluble?

Esperó la respuesta de Thomas, pero no llegó. Al rato comentó como al descuido, al cruzar el poblado desde el corazón de Virginia City, hasta la comarca alejada donde se hallaba enclavado el palacio:

—Hay que restaurar las casas de los colonos. No me gusta que vivan como alimañas.

Ella no respondió.

Al rato, Thomas volvió a decir:

—La primavera se acerca. Pienso prescindir de la ayuda municipal y construir la carretera desde la casa a las oficinas. El camino se hace largo y penoso.

Tampoco Beatriz tuvo nada que responder.

Él la miró.

—Vas muy callada. ¿Te sientes bien?

—Por supuesto que sí.

—¿Hubo en tu familia partos fracasados?

—No. ¿Por qué lo preguntas?

—Porque me molestaría en grado sumo que se frustrara mi hijo. ¿O es que a ti no te interesa que venga al mundo?

—Desde que salimos de la clínica me estás ofendiendo.

—Perdona —rió con aquella su cachaza que resultaba odiosa para la joven—. Eres tan susceptible…

—No sabes cómo soy yo.

La miró un segundo.

—Sí que lo se —susurró burlón—. Creo saberlo. Ya no eres tan desconocida para mí como tú supones. No lo eres, no. Te conozco bajo una faceta que tal vez tú nunca pensaste que llegara a conocer. Tal vez es —añadió sardónico— en la única que te conozco.

Ella enrojeció y volvió el rostro hacia la pradera. Sentía unos locos deseos de llorar. ¿La martirizaba adre-

99

de? ¿Qué se proponía? ¿Que ella saltara? No pensaba hacerlo.

Fumó despacio. Él, impulsivamente inesperadamente, la asió por un brazo.

—¿Qué te pasa? —preguntó sin verla—. ¿También te ofendí ahora?

—Sólo abres la boca para humillarme.

—Eres tan altiva, tan orgullosa, que me agrada verte menguadita. Pero no es fácil de conseguir. ¿Eras así con... James Holand?

Beatriz se volvió en redondo y lo miró con súbita ansiedad. ¿James? ¿Qué sabía él de James? ¿Por qué lo mencionaba en aquel instante? ¿Es que no había comprendido aún que James para ella era un pasaje sin importancia? ¿Algo que existió como un anillo de humo y se desvanece sin que nadie se percate de su existencia? ¿Es que no lo sabía?

—Parece —dijo él ya sardónico— que te agita el recuerdo de tu primer novio...

—Thomas... no tienes derecho.

—No, no tengo derecho a hurgar en tu pasado, pero me pregunto... si lo habrás besado alguna vez como... como...

—Cállate, Thomas —pidió en un gemido.

—Como me besaste a mí aquella noche —siguió él con el acento enronquecido.

—Cállate —susurró ella—. Nunca besé a James... como te besé a ti. No sé aún cómo ocurrió. Ejerciste sobre mí... una fuerza desconocida, indestructible...

Por toda respuesta, Thomas alargó la mano y la puso sobre la rodilla femenina. La oprimió allí sin palabras. Parecía que todo iba a quedarse en nada. Ella, con el mismo impulso, poso sus dedos sobre la mano de él y la oprimió a su vez. Fue un acto natural, impulsivo, irreprimible. Y no sabemos si la pesadilla se hubiera desvanecido en aquel instante, si una mujer no se detiene en mitad del camino y para el auto...

La mujer en cuestión detuvo el auto y Thomas sacó la cabeza, por la ventanilla.

—¿Qué haces aquí, Linda? —preguntó.

Aún continuaba con la mano de Beatriz entre las suyas. Y notó de súbito que aquellos dedos se quedaban rígidos y huían de su contacto. Metió la cabeza para mirarla asombrado. La mujer se acercó en aquel instante. Era joven, bella y arrogante, y parecía descocada.

—Tom, cariño —susurró sin fijarse en que su antiguo amante iba acompañado—, hace una semana que no te veo. Iba camino de casa con el fin de saber noticias...

Por primera vez, Beatriz vio a su marido desarmado ante un par de mujeres. La amiga íntima y la esposa respetada.

—No puedo detenerme —gruñó Thomas furioso—. Voy con mi esposa.

Linda no pareció inquietarse por ello. Se inclinó más, miró a la esposa que estaba pálida como un papel inmaculado, y dijo enérgicamente:

—Te espero esta noche, Tom.

Thomas puso el auto en marcha y de un charco saltó el lodo que cubrió el vestido de Linda.

Hubo un silencio en el interior del auto. Beatriz parecía haber sido tallada en piedra de repente. Thomas no dio explicaciones. Si lo hubiera hecho, tal vez Beatriz le habría disculpado. Pero Thomas se consideraba demasiado

101

hombre, demasiado herido, para dar explicaciones de algo que, en su mente y en su corazón, había pasado ya.

—Hace una mañana espléndida —comentó Beatriz, con el firme propósito de no darse por ofendida—. Se aproxima el buen tiempo. ¿Qué hacéis en esta comarca cuando luce el sol?

Thomas aspiró hondo. Alargó la mano como si pretendiera desvanecer del todo aquella sombra interpuesta entre los dos, y retroceder de nuevo al instante en que ambos comunicaron sus sentimientos por medio del contacto. Beatriz no retiró aquella mano ardiente aplastada en su rodilla, pero sus dedos no fueron a posarse sobre aquella mano. En cambio, comentó nuevamente con estudiada indiferencia:

—Esta comarca bajo el sol, debe ser magnífica.

—Lo es —admitió él con voz hueca—. Lo es.

Se divisaba la finca. El auto penetró en el gran portalón y fue a detenerse ante la escalinata.

Descendieron uno por cada lado. Él fuerte, imponente, arrogante; ella delicada, femenina, exquisitamente vestida.

Thomas pensó en Linda, en Betty, en tantas mujeres que pasaron por su vida sin dejar huella. Pensó también, en una fracción de segundo, en las veces que se dijo a sí mismo que deseaba una mujer frágil. Y Beatriz Mac Whirter lo era. No sólo frágil, sino también elegante, de fina cuna. Y era aquélla la única mujer que por el momento, y creía también que para toda la vida, daría algo verdadero a su hombría. Fue para él como un flechazo. Como si el destino se la tuviera reservada y nada más verla se dijera: «Es ésta. Ésta es la única mujer que será capaz de conmover mi corazón». Y lo fue.

La asió del brazo y juntos subieron las escaleras.

—Voy a descansar un rato —dijo ella al llegar al vestíbulo—. Me he cansado en el viaje. Supongo que tú —lo miró indiferente— te irás a la oficina.

Thomas no respondió. Maldijo a Linda, que había entorpecido el único momento sincero de Beatriz Mac Whirter. Estaba seguro de que por poco que se lo hubiera propuesto, en aquel crítico instante, Beatriz le habría dicho que lo amaba, que lo necesitaba, que aquel hijo que esperaba la hacía feliz. Y entonces él... él habría correspondido en la misma medida.

—Hasta luego —susurró ella yendo escaleras arriba.

Él quedó de pie en mitad del vestíbulo, con las manos hundidas en los bolsillos del pantalón, las piernas un poco abiertas, alzada la cabeza, fijos, quietos los ojos en ella.

Se quitaba el abrigo cuando oyó la puerta. Se volvió, aún con el abrigo en la mano. Al ver a Thomas plantado en el umbral, alzó una ceja. Nada preguntó. Esperó. Dejó el abrigo en el respaldo de una silla y se quedó en pie, con la mano apoyada en el respaldo de la misma.

Thomas entró y cerró con el pie. Tenía la pipa en la boca, parecía contrariado. Sin quitarse la pipa de la boca, dijo:

—No creo que tengas derecho a condenar mi vida de soltero.

Por lo visto era una velada alusión a Linda... Beatriz se dejó caer en la butaca y cruzó una pierna sobre otra.

—No, mientras ese pasado no se haga presente, y por lo que observo —dijo implacable— lo es.

—Me parece que olvidas que vine a esta comarca sin un chelín. Que luché como un loco. Que nunca fui hombre pasivo que centrar su vida sólo en el trabajo. He tratado de endulzara mi vida a través de las mujeres. No estaba casado, por tanto podía hacerlo, eso y todo lo que me viniese en gana, y no estoy arrepentido de nada de cuanto hice.

Avanzó unos pasos y se quedó con las piernas abiertas frente a ella. Beatriz hubo de ladear un poco la cabeza para mirarlo. Thomas notó que las aletas de la nariz le palpitaban. Sabía que era muy sensible, muy distante a todas las mujeres que él conoció en aquella comarca. Pero no se procuró de no lastimarla. Necesita hablar y lo hizo sin rabia, pero con un absoluto desprecio de lo que pudiera ocurrir tras lo que dijera.

—Estás habituada —añadió— a tratar a muñecos de salón, como James Holland, y crees que todos somos iguales. Lamento decirte que yo no soy un muñeco de salón, ni me siento ambicioso de algo que no gané por mí mismo. No te he buscado yo. Te buscó mi amigo. Creyó justamente que eras la esposa indicada para mí. Se equivocó. No soy delicado. Soy tan solo un hombre que vivió su vida entre trabajo, mujeres y pesares.

—No te pido explicaciones de tu pasado, Thomas —dijo ella calladamente—. Ni te las pido, ni te las admito, aunque me las des. Pero ahora estamos viviendo ambos un presente, tenemos algo íntimo en común. La presencia de nuestro hijo, que si bien existe en esencia, pronto será materia de nuestra propia materia. Esto es lo esencial. No es fácil que algún día nos entendamos . No por tu falta de delicadeza ni por tu exceso de ella. Sino porque ambos nos parecemos, chocamos. Tampoco estoy dispuesta a que otras mujeres compartan su vida contigo, siendo ésta exclusimente mía.

Tal vez era lo que esperaba Thomas Wales, pues se inclinó hacia delante, dobló el busto y se la quedó mirando fijamente.

—¿Olvidas acaso que no eres mi mujer?

—¡Thomas!

—Eres sólo mi esposa. Si existe ese hijo en común, como tú dices, fue sólo un accidente del que casi no somos responsables ninguno de los dos. Te olvidas también de que te esperé con ilusión.

—No conocía tu ilusión.

—Por lo menos debiste suponer que si decidía casarme de aquella manera, era porque deseaba y necesitaba una mujer. Llegaste a mí, fui a buscarte como un hombre busca algo que es suyo. Me encontré con tu altivez, y no te conformaste con parecerlo, sino que, nada más solos, me escupiste a la cara tu amor por otro hombre. No me explico aún cómo en aquel instante no te tomé del brazo y te devolví a tu destino de procedencia.

—Aún estás a tiempo de hacerlo.

Thomas aspiró fuerte. Volvió a meterse la pipa en la boca y se enderezó.

—Nos herimos mutuamente —dijo calmado—. No sé si porque necesitamos herirnos, o por la presencia de esa mujer en mitad del camino.

—Tendrá que pasar mucho tiempo —dijo ella conteniendo el deseo de llorar— antes de que olvide tus noches fuera de casa, la presencia de esa mujer en el camino y tu poca delicadeza al hablar de tu pasado.

—Un día te dije que tendrías que venir a mí si algo deseabas. Te lo repito hoy. Estuve a punto esta misma mañana de romper con mi juramento. Al fin y al cabo, por muy hombre que sea, por mucha que sea mi masculinidad, más es mi amor.

Lo dijo con rabia. Beatriz lo miró, buscando afanosa sus ojos, pero Thomas ya le daba la espalda.

—Sí —gritó súbitamente excitado—. Sí. Te quiero. No como quise a esa muchacha llamada Linda. Lo tuyo, lo que siento por ti, es algo más. Algo demasiado profundo para que yo, tan burdo, tan paleto, pueda explicarlo. Es algo… algo que… rompe mi vida a dentelladas. —Se dio la vuelta—. Algo que me mengua, ¿me entiendes? Nunca fui débil ante las mujeres. Y hoy lo soy ante ti. Pero una vez más, aunque me cueste la vida, aunque me cueste, Beatriz, tendrás, tendrás que pedirme amor si es que en verdad lo quieres de mí. Nacerá mi hijo y tendré veinte más. Y seguirás sintiéndote sola. El hecho de tener una docena de hijos entre un hombre y una mujer, no quiere decir que sean felices y se consuelen mutuamente. Un hijo… no es la unión, y tú lo sabes. Para ser feliz se necesita algo más. Ya ves, te lo digo yo, que viví sólo dando gusto a mis sentidos. Contigo eso no me basta. No sé aún lo que es tu ternura de mujer, y es, por desgracia, lo que más necesito.

Abrió la puerta.

—¡Thomas! —gritó ella—. Thomas…

—Ya lo sabes. Tendrás que venir a mí… Y tú no eres de ésas. Vivirás en una eterna lucha, hasta que te consumas. No estoy arrepentido de nada de cuanto hice —repitió obstinado—. No admitiré ni un sólo reproche referente a mi vida pasada, como tampoco te haré a ti reproches de la tuya. Pero si no aprendes a ser una mujer razonable, tendrás que sentirte muy sola.

—Thomas…

Estaba a punto de lanzar un alarido de agonía. Thomas no lo supo. Encendido por la rabia y el despecho, nacidos éstos de la indiferencia de su mujer, no supo ver en ella la gran debilidad que estaba a punto de hacerla caer a sus pies.

—Thomas —repitió ella como en un hilo de voz.

Thomas la miró.

—Quisiera —dijo aplacando su ira— conocerte un poco. Creí que te conocía, pero no es así. He tratado a muchas mujeres —añadió brutal— y, sin embargo, sigo sin conocerlas. Voy a pensar que contigo me ocurrió igual.

—Me estás ofendiendo.

—Estoy tratando de ser real.

—Y con tu realidad me apartas más de ti.

—Lo siento.

Salió y cerró con un seco golpe.

Beatriz llevó las manos a la boca y contuvo el sollozo que estuvo a punto de delatarla. Oyó los pasos de Thomas alejarse fieramente, sin detenerse. Entonces se lanzó en la cama y, ocultando el rostro entre las manos, rompió a llorar.

No lo comprendía. Nunca lo comprendería, y lo que era peor, él tampoco la comprendía a ella.

Creyó que al verse de nuevo aquella noche continuaría la batalla, pero con gran extrañeza por su parte, Thomas llegó a casa tan tranquilo, riendo con aquella risa poderosa que le hacía invencible.

—¿Cómo te sientes, muchacha?

Así, como si horas antes el debate no la aniquilara. Por lo visto él no tenía sensibilidad, o tenía demasiada.

Cuando se sentaron a la mesa, Thomas preguntó sonriente:

—¿Qué nombre vas a ponerle al niño, suponiendo que sea varón?

—Thomas.

—¡Oh! Es enternecedor. Si es mujer, yo decido que se llame Beatriz.

No respondió.

Durante más de un mes se trataron como dos amigos. Se diría que jamás entre ellos hubo nada en común. Al mes siguiente, Thomas hubo de realizar un viaje a Nueva York, y como en otra ocasión, ella le hizo la maleta, oyendo sus desconcertantes comentarios.

—¿Vas solo? —le preguntó cuando ya se marchaba.

—Me acompaña mi secretaria.

Beatriz sintió que el mundo se desplomaba sobre ella.

—Si te acompaña tu secretaria —dijo roncamente— posiblemente no me encuentres a tu regreso.

Thomas se cuadró ante ella. La miró burlón.

—¿Celos?

—Dignidad.

—Tendrás que moderarla, Beatriz. Tendrás que aprender muchas cosas que ignoras aún.

—¿Y si te dijera que... quiero ir yo?

Hubo una vacilación por parte de Thomas. Los grises ojos tuvieron un destello.

—¿En calidad de esposa o de secretaria, querida mía?

Era una burla hiriente. Dio la vuelta sobre sí misma y no respondió. Thomas Wales empequeñeció los ojos. Aún esperó durante unos minutos una respuesta. Aquella respuesta que podía terminar con su terrible problema sentimental. Pero la respuesta no llegó. Asió la maleta y se alejó sin despedirse.

Beatriz quedó allí, encogida en la butaca, sintiendo que toda ella se retorcía de dolor. Pero no fue capaz de doblegar su orgullo, correr tras él, y decirle… decirle que en calidad de lo que él prefiriera.

Ocho

Se hallaba sola en la biblioteca cuando sonó el teléfono. Con desgana asió el receptor.

—¿Diga?

—¿Cómo estás, Beatriz?

Era Thomas Wales. Le hubiera conocido entre mil. Aquella voz suya, tan personal, tan diferente… ¿Dónde estaba?

—Beatriz —rió al otro lado del hilo—. ¿Te has quedado muda?

—¿Dónde estás?

—En Nueva York.

Ella no hizo comentario alguno. Hacía más de una semana que se había ido. Durante ese tiempo pensó dejarlo, regresar a Londres. ¿Iría Thomas a buscarla a Londres, en el supuesto de que ella huyera?

No.

—Beatriz… ¿qué te pasa?

—Nada.

—¿Dónde estás?

—En la biblioteca.

—Pensando —dijo sin preguntar.

—Para eso tenemos el cerebro, ¿no?

—No. El pensar mucho envejece.

—Por eso tú estás tan juvenil.

—Si es una ironía, me agrada —rió burlón—. Oye, Beatriz, ¿como va lo del niño?

—Perfectamente.

—No te has ido…

Beatriz apretó los labios y cerró los ojos. Sus dedos se crisparon sobre el auricular. Se iría. Aún se iría. No era fácil que una mujer como ella soportara aquella soledad.

—¿Me oyes, Beatriz?

—Aún tengo aquí para un mes.

—Ya.

—Te echo de menos.

No respondió.

—¿Y tú a mí, Beatriz?

—No.

—Eres mala. Adiós.

Colgó inesperadamente. Ella hubiese querido oírlo toda la noche. Colgó el receptor y echó la cabeza hacia atrás. Se quedó inmóvil, como dormida ¿Y si regresara a Londres? ¿Renunciaría Thomas a su hijo? Ya no pensaba en ella. A ella estaba renunciando.

Dos días después, hallándose en la terraza al anochecer, una doncella le dijo que la llamaban por teléfono.

Corrió hacia la biblioteca. Pensó: «Es él. Aún piensa en mí…»

—¿Diga? —preguntó algo sofocada.

—Beatriz —dijo al otro lado una voz de mujer—. Beatriz…

—¡Audrey! —susurró la joven como si no diera crédito a sus oídos—. Audrey…

—No esperabas oír mi voz, ¿verdad? Pues aquí me tienes.

—¿Dónde? ¿Dónde estás?

—En Londres. Tanto tiempo sin noticias, que hoy no pude más y le dije a Will: «He de llamar a Bea. Necesito saber cómo está».

—Voy a ser madre.

—¡Oh! ¡Oh… querida mía! Ya sabía yo que Thomas sería un magnífico partido para ti. Will llegó ayer de viaje de negocios. Se encontró con Thomas en Londres. ¿Cómo no has ido con él? Los hombres con sus secretarias corren peligro —rió—. Claro que tú eres tan bella y tan joven, que no es posible que un hombre como Thomas te cambie por otra.

—¿Por qué no venís a pasar una temporada con nosotros? —preguntó por toda respuesta—. Tal vez si venís, os acompañe yo a Londres una temporada.

—¿A Londres? ¿Por qué?

—¡Bah! Es mi patria…

—Tienes un acento de voz un poco raro. ¿No van las cosas bien, Bea?

—Claro que sí.

—¡Ah! Me sentí asustada por un instante.

—No lo estés.

Hablaron un rato aún, de trivialidades. De todo lo que pueden decirse dos mujeres que no son sinceras la una con la otra. Audrey no podría serlo, porque conocía por su marido el estado de cosas en las relaciones entre Thomas y su íntima amiga. Beatriz, porque no consideraba prudente hacer a nadie, ni siquiera a Audrey, partícipe de sus desventuras.

Cuando colgó y se miró a sí misma, suspiró con amargura. No era fácil mentir. Nada fácil.

De buen grado averiguaría quién era la secretaria que acompañaba a Thomas en su viaje, pero no era correcto hacer preguntas, por su parte. No obstante, a la mañana siguiente buscó a Kay. Ésta era muy habladora, conocía a Thomas desde que llegó a la comarca de Virginia City y sabía todos los pormenores de su vida. No era Kay una mujer lo bastante inteligente para percatarse de que su ama deseaba saber cosas que ella sabía.

La encontró en el granero, echando maíz a las gallinas. Beatriz se apoyó en los alambres que cercaban a ésta, y fumando lentamente entabló conversación con la negra Kay.

—¿Cuántas tenemos, Kay?

—Muchas docenas, amita —replicó Kay a quien resultaba sumamente simpática la joven inglesa—. Recojo los huevos todos los días. ¿Y sabe usted, amita, cuántos van al mercado cada semana?

—Ya he visto cargar el carro. Entre hortalizas y huevos, vivimos todos —dijo, por decir algo.

—No, no. Todo lo que saco de los huevos es para mí. Sepa usted amita, que yo tengo un buen capital. El amito me pidió que lo hiciera así.

—El amo es muy generoso.

—Mucho.

—Lo echará de menos.

—Todos lo echamos de menos. También usted, ¿verdad, amita?

Más de lo que nadie podía figurarse. Pero no lo dijo. Tan sólo asintió con un breve movimiento de cabeza. Al rato dijo:

113

—Menos mal que no va solo. Le acompaña una secretaria.

—Betty —rezongó Kay entre dientes.

Beatriz se percató de la ira contenida de Kay. Pero no consideró conveniente ni prudente hacer hincapié en ello. Cautelosa, susurró sin preguntar, como si lo afirmara de antemano:

—De soltero hacía igual. Betty era su preferida…

Kay la miró asombrada.

—¿Es que no la molesta, amita, que el amito se vaya de viaje con una lagartina así?

—No. ¿Por qué había de molestarme? Es su secretaria. Un poco avanzada, quizá…

—Mucho. ¿Sabe las veces que antes de casarse con usted venía Betty a buscarlo? Yo oigo cosas. Los criados hablan y hablan. Dicen que Betty es una joven ambiciosa y nada tonta, y que no le importaría ser esposa o amante del amito… Como esposa ya no puede ser… Yo, en el lugar de la amita, pedía al amito que despidiera a Betty.

—No soy celosa —dijo con unos tremendos deseos de llorar, sintiendo que los celos la herían en lo más vivo, como si le arrancaran el corazón a dentelladas.

Kay se alzó de hombros. Su gran humanidad se agitó.

Beatriz tiró el cigarrillo al suelo, lo pisó y dijo:

—Hasta luego, Kay.

—Que usted lo pase bien, amita. Tome un poco este sol. Está muy pálida.

Se encerró en su alcoba y se sentó en el borde de una butaca. Quedó ensimismada, con las manos apretando las sienes. ¿Qué hacer? Ya sabía cuanto deseaba. Betty, la secretaria preferida, era la amante de su marido, como seguramente lo fue Linda y tantas otras antes de casarse. Pero es que antes ella no era su esposa. Y en cambio ahora…

De pronto se puso en pie y se irguió. Necesitaba hacer algo. No podía humillarse hasta pedirle a Thomas que volviera y la amara, pero podía impedir que siguiera entreteniéndose con… Betty.

Pensó que necesitaba un consejo. No era fácil escucharlo, no teniendo como no tenía, amigos ni parientes. ¿Un sacerdote? ¿No había en aquella comarca un sacerdote? Regreso al patio. Kay aún estaba allí, echando maíz a las gallinas.

—Kay… ¿no hay por estos lugares un sacerdote católico? —preguntó con estudiada indiferencia.

—Sí. Al final de las montañas. Al otro lado hay un pueblecito. Allí encontrará una pequeña iglesia.

—¿Se puede ir a pie?

—Será mejor que tome un caballo.

—Gracias, Kay. Voy a hacerle una visita.

Kay ordenó que preparasen un caballo para la señora y, una vez listo, Beatriz, sin pensar en su estado, montó en él y lo espoleó, huyendo a galope.

«Le explicaré todo lo que me ocurrió desde que me casé, y le preguntaré si es correcto que él me deje aquí y se vaya con su secretaria. Le explicaré todo… todo…»

El caballo saltó sobre una piedra y dio varios revolcones, lanzándola al suelo, sintió un golpe y un dolor horrible en el vientre. Fue entonces, loca de desesperación, cuando recordó que iba a tener un hijo, y que aquella caída podía ser fatal en su estado.

Todo estaba revuelto en el palacio de Thomas Wales. *Mister* Coote, colgado del teléfono desde hacía media hora, trataba de localizar a Thomas en Nueva York. Ya sólo le quedaban una docena de hoteles donde preguntar.

Tenía ante sí la guía telefónica y dos criados apuntando con un lápiz. Kay aparecía de vez en cuando asustada y sólo preguntaba a media voz:

—¿Aún no?

—Aún no —contestaba un criado con voz ronca.

El médico apareció en aquel instante, de regreso de la alcoba de Beatriz. Hacía más de tres horas que un campesino la trajera en sus brazos, diciendo que la había encontrado tendida en la pradera.

Mister Coote se precipitó hacia el galeno.

—¿Qué pasó, doctor?

Este movió la cabeza de un lado a otro.

—Frustrado, amigo mío. Ella se encuentra bien. Podrá levantarse mañana por la tarde. Tiene algunas magulladuras sin importancia. El niño... no existirá jamás.

—¡Oh!

—El amo —susurró asustado un criado— estaba loco de contento. Se lo decía a todo el mundo.

—Lo sé —admitió el médico—. También me lo dijo a mí. Ha sido una desgracia que debemos admitir con resignación. Nacerán otros...

Estrechó la mano de *mister* Coote y se alejó con el maletín bajo el brazo. Kay, desolada, apareció en el salón segundos después.

—¿No lo han localizado aún?

—No. Seguro que no se encuentra en Nueva York.

—Sigan ustedes.

Siguieron durante toda la tarde, hasta el anochecer, y no fue posible dar con el paradero de *mister* Wales.

Beatriz, en su alcoba, recostada desmayadamente en la almohada, lloraba sin cesar. ¡Su hijo! ¡Su hijo, que tantas ilusiones guardaba para ella! ¡Su hijo, que era la única esperanza! El único lazo que la unía a Thomas… Además, ¿qué diría su marido cuando tuviese conocimiento de lo ocurrido? ¿Qué reproches no tendría que escuchar?

Al anochecer, Kay penetró en la estancia. La encontró llorando. Corrió hacia ella y le asió una mano.

—Amita… no debe ponerse así. Son cosas de Dios.

—Esto fue cosa mía, Kay. Fui yo, por subir al potro —y con ansiedad dijo—: ¿no localizaste a mi marido?

—No debe encontrarse en Nueva York, amita. Hemos llamado a todos los hoteles y fondas, y en ninguno figura su nombre.

—¡Dios mío! —musitó—. ¡Dios mío!

Tres días después aún no se sabía nada de Thomas. Al cuarto, cuando ya Beatriz se hallaba como si nada hubiese ocurrido en apariencia, pues su moral se hallaba hundida, totalmente hundida, alguien dijo que *mister* Wales había regresado aquella tarde.

«Lo sabrá en seguida —pensó con desaliento—. Se lo dirán lo empleados. Todo el mundo se enteró.»

Se encerró en la biblioteca. Pero como tampoco allí podía parar, se fue a su alcoba y se sentó en el borde del lecho. Estaba pálida; grandes ojeras circundaban sus ojos. Ya no tenía ni fuerzas para pensar que Thomas se había ido de viaje con una mujer a quien todos consideraban descocada… Él, era él, quien podía y tenía derecho a reprocharle a ella. Él, que había centrado toda su ilusión en aquel hijo… que ya no existía.

Nadie le dijo a Thomas Wales lo ocurrido. Habían transcurrido cuatro días desde que sucedió, y nadie quería inmiscuirse en un tema tan íntimo, cuando una esposa esperaba al marido en casa y era ella quien debía ponerle al corriente de aquel triste suceso.

Thomas, una vez bajó de la avioneta, habló con todos, departó con sus altos empleados, les gastó bromas y luego preguntó por su coche.

Un empleado se lo trajo, lo detuvo ente él, echó la maleta del viajero en la parte trasera y se alejó.

Thomas aún penetró en la oficina. Betty estaba allí, lo miraba rencorosa. Thomas se echó a reír, la palmeó el hombro y manifestó con su habitual crudeza:

—Lo siento, Betty. Créeme que lo siento. No pude ser más ameno con el viaje. Nunca pensé que amara tanto a mi mujer. La verdad —añadió más suavemente—, la llevé a usted conmigo para probarme a mí mismo. Era usted, de todas mis secretarias, la más bonita y la más… descarada. Si no me obligaba a salir de mi cerradura con sus encantos, ya no sería capaz de conmoverme ninguna otra mujer, excepto la mía. Y estoy satisfecho de haber comprobado que, en efecto, estoy locamente enamorado de mi mujer. Un poco absurdo, ¿verdad? Tratándose de mí… no era de esperar que me conformara con una sola mujer.

—¡Váyase de una maldita vez, *mister* Wales! —gritó ella—. Y no se mofe más de mí.

Thomas lanzó una risotada. Asió la cartera de piel que se hallaba sobre la mesa y se dirigió al auto. Minutos después atravesaba el sendero que partía la campiña. Casi un mes sin ver a Beatriz. Fueron demasiados días. Cuando se fue, nunca pensó que aquellos asuntos que lo llevaron a Nueva York se alargaran tanto. Después su inesperado viaje a California. Días que resultaron francamente desagradables. Días interminables junto a una Betty que se desesperaba por agradar. No era posible ya. Ninguna mujer del mundo sería capaz de desbancar a Beatriz Mac Whirter de su corazón de hombre. Aquel corazón, pensó, que jamás se interesó verdaderamente por una mujer determinada; y hete aquí, que tras de pedir una muchacha morena de treinta años, llega una rubia, frágil, bonita, escandalosamente joven y orgullosa, la antítesis de lo que él creía su ideal, y acaparaba su vida en su totalidad.

Él, que siempre fue un tipo sin escrúpulos, que vivió toda clase de aventuras con toda clase de mujeres, sin importarle que éstas fueran casadas, viudas o solteras, y de pronto… preso en las redes de una mujer desdeñosa, que le amaba y no quería confesarle su amor…

Durante todos aquellos días no la imaginó en su vida ordinaria de cada día. En su desdén y altivez y su cerradura para confesar lo que realmente sentía. No. La imaginó sumisa, como aquella noche inolvidable, dócil para sus caricias, apasionada para sus besos. Con una boca que era fuego puro al perderse en la suya. Aquella mujer era la que él conocía. La que él deseaba, la que él necesitaba…

Detuvo el auto ante la escalinata y descendió de un salto. Miró la casa con ilusión. Siempre se sintió orgulloso de que fuera suya, su gran obra de hombre. Pero aquel día no pensó en eso, no vio eso en la casa. Vio su hogar. A la mujer de su hogar, al hijo de aquel hogar… Beatriz podía seguir siendo altiva y distante, pero tenía con él algo en común. Algo que un día, no tardando mucho, se convertiría en una personilla de carne y hueso. Algo que... era de los dos, que los unía, aunque Beatriz no quisiera.

—Buenas noches, amito.

—Kay.

La levantó en vilo y le dio dos besos en cada mejilla.

Bajísimo, con una ansiedad que Kay no conocía en él, preguntó:

—¿Dónde... dónde está ella?

—Arriba.

—¿Dónde?

—En su cuarto.

—Hasta luego, Kay.

La soltó y echó a correr escaleras arriba. Vestía un traje gris de corte impecable. Brillaban sus zapatos. Se notaba que regresaba de la ciudad. Fuerte, poderoso, pero menguado como un adolescente ante la intensidad de aquel indescriptible deseo de verla.

Se detuvo en medio de la escalinata y jadeó. Era tanto el deseo de ver de nuevo a Beatriz, que ya no le importaba que ella lo recibiera distante. Habían sido demasiados días de separación. Nunca volvería a ocurrir. La llevaría con él y sería como un consuelo dulcísimo verla junto a sí, aunque no fuera cariñosa.

—¡Beatriz! —llamó impulsivo, llegando junto a la puerta—. Beatriz.

Era su voz como un lamento o un gemido.

—Beatriz...

Apretó el pomo de aquella puerta con ansiedad súbita. Lo hizo girar.

—Beatriz...

La puerta se abrió. Apareció Beatriz. Una Beatriz pálida, menguada, pero más hermosa si cabe.

Beatriz vio a aquel hombre frente a ella. Un hombre que era su marido, pero que no se le parecía. Se diría que era un amante que acudía a una cita amorosa y no podía disimular su ansiedad.

—Beatriz...

La joven se estremeció. No fue capaz de reaccionar cuando Thomas Wales la tomó en sus brazos. La tomó, sí, como si una vida entera estuviera pendiente de aquel deseo y de pronto pudiera realizarlo.

—Thomas —susurró ella asombrada—. Thomas..., tengo que... tengo que decirte...

Thomas la besó en la boca. ¡Los besos de Thomas! Hondos como quemaduras, fuertes como las voluntades poderosas, apasionados... locamente apasionados.

Le temblaron las piernas. Se dejó llevar por aquella avalancha.

Fue algo incontenible. No podía resistir la pasión de Thomas. Algo que ella sólo conoció en él una vez... Una vez...

—Beatriz, Beatriz...

La estancia estaba oscura. Sólo le veía a él. Y él a ella. Era como si de pronto todo lo demás, el resto del mundo, dejara de existir. Sólo ellos dos.

Sentía la boca de Thomas en la suya y abrió los labios para recibirlo. Fue aquél, el instante más verdadero de la vida de Thomas Wales. La alzó en vilo. Ella, como inconsciente, le pasó los brazos por el cuello. Ocultó su cabeza en el hombro masculino.

—Tengo que decirte, Thomas…

—¡Dios de los cielos! ¿Qué importa lo que ahora tengas que decirme? ¿No te das cuenta de que estuve sin ti casi un mes? ¿No te das cuenta?

Sí se la daba. Pero sabía también que aquel instante iba a pasar. Que cuando se lo dijera… Cuando le dijera…

Pero no se lo diría. No podía decírselo en aquel instante. Tenía a Thomas demasiado cerca de sí. Lo sentía en sí misma. Sus manos al acariciarla parecían tener fuego, y sus besos… ¡Los absorbentes besos de Thomas Wales! No le extrañaba que todas las mujeres lo amasen. Era como una avalancha poderosa. Como si… toda la fuerza y la pasión del mundo y de todos los seres de ese mundo, se recopilara en él.

—Thomas…

—Cállate, Beatriz, muchacha. Después, ya me dirás después. Ahora, no. Ahora déjame pensar que me esperabas, que me deseabas, que me… que me amabas…

No lo veía. Cada vez se hacía más oscuro. Veía únicamente que la luz de la luna entraba por la ventana abierta, que las cortinas de muselina se movían al vaivén de la brisa, que Thomas estaba allí, junto a ella y la perdía en sus brazos.

—Thomas…

Cayó hacia atrás junto a él. Era grato estar allí junto a Thomas, y olvidar que no existiría nunca su hijo. Era grato, sí… sentir a Thomas tan suyo, tan entregado.

Minutos u horas. Ella recordó una noche como aquélla, a Thomas en la oficina haciendo café.

—Beatriz…

—Sí.

—Estás aquí.

—Sí.

—Y eres mía.

—Sí —susurró ella como un suspiro.

Y de nuevo, entre aquellos besos y aquellas caricias sofocadas, pensó en su hijo.

—Tengo que decirte...

—Sólo que me amas.

—Sí.

—Me amas.

—Sí.

«Se lo diré ahora. Ahora se lo diré.»

Pero no se lo dijo. No tuvo valor, o él quemó sus palabras bajo sus besos.

Los minutos corrían. Era delicioso sentir a Thomas tal como era. Tal como lo conocían las mujeres que lo amaban.

Era grato, pensó él. tener a Beatriz allí, perdida en el dogal de sus brazos y sentirla dócil, bonita, apasionada, suave como una pluma. Era maravilloso, sí, ser uno del otro sinceramente...

—Tengo que decirte...

—Luego.

—Ahora, Thomas...

La tapó la boca. Beatriz cerró los ojos. «¡Dios mío! —pensó—. ¡Dios mío! Cuando se lo diga... Cuando se lo diga...»

Pero no se lo dijo aún...

Nueve

Temblaba frente a Thomas. Un Thomas sincero, feliz, sonriente. Ahora ya conocía a su marido. Era aquel hombre, ni más ni menos que aquel hombre que la miraba arrobado, que asía su mano y la llevaba a la boca y le decía quedamente:

—Ahora dime… Dime lo que querías decirme.

Era el momento. Beatriz se separó de él, y con ademán maquinal cruzó la bata en torno a su cuerpo. Thomas la vio frágil, bonita, fina. Hasta para amarlo era fina, diferente a todas.

—Beatriz…

Fue a tocarla, pero la joven dio un paso atrás. Estaba muy pálida. La luz iluminaba su figura y Thomas pudo darse cuenta de que grandes ojeras circundaban sus ojos.

—Estás enferma…

—No.

—Ven, Beatriz. Sentémonos los dos aquí. Es pronto aún para bajar a comer. No ha tocado aún el gong. Oye, querida… Perdona que te haya tenido tanto tiempo sola. Creo que me benefició. Me he encontrado a mí mismo y a ti… Porque te he encontrado a ti, ¿verdad? No más nubes en nuestra vida. Cuando nazca nuestro hijo, Beatriz, la mayor esperanza de mi vida —ella se estre-

124

meció de pies a cabeza y hubo de apoyarse en el respaldo de una butaca. Thomas continuó sin percatarse de aquel hondo dolor—, iremos los tres a Londres. Te prometo que iremos a Londres los tres. He traído una cosa para ti, Beatriz. Un collar de perlas. Y un sonajero para mi hijo: ¿sabes lo que ese hijo supone para mí, Beatriz? ¿Te das cuenta? Sí, te la darás —se puso en pie. Fue hacia ella—. Te la das ya —dijo pasándole un brazo por los hombros—, porque para ti significa igual. No sé lo que sería de mí, Beatriz, si ese hijo no llegara. Creo que sería como si me arrancaran la vida a puñetazos.

Beatriz se tambaleó.

Tenía que decirle… Tenía que decirle… Abrió los labios y los cerró de nuevo. Se diría que una plancha de fuego se los cerraba.

Estaba segura de que lo perdería, que la culparía a ella, que…

—¿Te ocurre algo Beatriz?

Lo miró como si no lo viera. Tenía una nube en los ojos. Iba a llorar. Él nunca la vio llorar. Tal vez si se apretara en sus brazos... Si allí sollozante le dijera… Pero sería igual. Las palabras, fueran pronunciadas con llanto o secamente, significarían lo mismo.

—He pensado en ti constantemente, Beatriz —susurró él, inclinándose un poco para mirarla a los ojos. Y como ella huyera de su mirada, él le tomo la barbilla con los dedos y la miró hondamente a los ojos—. No soy un ser delicado como los hombres que estás habituada a tratar, Beatriz. Pero soy un hombre y te amo. Te necesito en mi vida como el hambriento necesita el pan y el sediento el agua. Nunca me ocurrió. No podía mantener por más tiempo mi juramento. No podía esperar a que tú…

tú vinieras a mí. Soñé una noche que yo iba a ti, te tomaba de la mano y tú me seguías dócilmente, y desde ese instante me dije que ocurriría así. Y así ocurrió. No se decir frases bonitas. Tal vez tú eres demasiado delicada para mí, pero a la hora de amarnos y comprendernos somos sólo un hombre y una mujer. Creo, que en todo esto del amor, ocurre así para todos. Un hombre y una mujer.

—Thomas…

—Te juro que te fui fiel. Si hace unos meses me dicen que llegaría a jurar esto a una mujer, hubiera abofeteado a quien lo dijera. Pues es así. Confieso mi pureza al respecto. Cierto que llevé conmigo a Betty… Supongo que ya habías oído hablar de ella. Elegí precisamente a ésa, porque sabía que trataría de provocarme. He salido incólume de la prueba, Beatriz. Y todo por ti. ¿Sabes por qué? Porque para mí ya dejaron de ser interesantes todas las mujeres en general. Ya no existe más que una para mí.

Sonó el gong.

—Tendremos que ir a comer —dijo al rato, tras buscar su boca y besarla larga y suavemente—. Me gustan tus labios, Beatriz. Son cálidos y suaves, y besan con pasión y ternura a la vez. —Bajó la voz. Se hizo íntimo todo cuanto les rodeaba—. Ahora ya te conozco. Te conozco bien y tú me conoces a mí.

Sonó de nuevo el gong.

—Vístete. Te espero abajo. Después nos retiraremos aquí. Pasaré la noche a tu lado.

Ella asintió con un movimiento de cabeza. La ahogaba la amargura. Si ella pudiera decirle… Si pudiera… Pero no podía. Las frases morían en el umbral de su boca. Temía perder aquella intimidad, aquel amor de Thomas, aquellas frases consoladoras. Decía que no sabía decir frases y sabía… Eran maravillosas las frases de Thomas Wales, como no lo fueron jamás las de James ni podían ser las de ningún otro hombre.

La tomó en sus brazos.

—Estás fría —le dijo quedamente, oprimiéndola contra sí. Ella, impulsiva, se apretó contra el y le pasó los brazos por el cuello.

—Thomas, Thomas…

—¿Qué te pasa? ¿Pero qué te pasa?

—Nada.

—Estás temblando.

Ella entrecerró los ojos.

Sintió los labios de Thomas tapándole los párpados. Se estremeció.

—Vístete —pidió él, bajísimo—. Y baja. Te espero abajo.

Aún la besó. Ella devolvió aquel beso con todas las fuerzas de su ser.

«Cuando volvamos se lo diré… Le diré, sí… Le diré…»

Les sirvió una doncella. Comieron mirándose constantemente. Él reía íntimamente. Ella sólo sonreía.

Al final de la comida, le dijo acercándosele por la espalda y posando sus manos en los hombros femeninos.

—Sube. Espérame arriba. Voy a fumar un cigarrillo.

La besó en el cuello. Fue largo y hondo aquel beso. Ella sintió que todo vibraba en su ser.

Huyó escalera arriba, y Thomas estuvo de pie en el vestíbulo hasta que la vio desaparecer. Después giró en redondo y una ancha sonrisa entreabrió el cuadro voluntarioso de su boca.

—Soy un hombre feliz —murmuró entre dientes—. Totalmente feliz.

—Buenas noches, *mister* Wales.

—¡Hombre! —exclamó—. ¿Qué me cuenta, *mister* Coote? Pensaba visitarle mañana. ¿Hizo usted lo que le ordené con respecto al alojamiento de los colonos?

Le estrechaba la mano al hablar. Ambos, como de mutuo acuerdo, fumando sendos habanos, se perdieron en el salón contiguo al comedor.

—Estoy en ello —dijo Coote—. No crea que es fácil. Los colonos no se avienen a reformas. No comprenden que es por el de ellos. Temen que les hagamos víctimas de una indebida expropiación.

—¡Qué mentes más estrechas! ¿Toma café conmigo? La señora se ha retirado ya. Está cansada.

—¿Ya se encuentra bien? Ha sido terrible, *mister* Wales. Le aseguro que aquel día me sentí tan desgraciado, como usted se hubiera sentido si le localizamos.

Thomas frunció el ceño. ¿De qué hablaba Coote? ¿Qué había ocurrido allí que él ignoraba aún?

—No sé a qué se refiere —dijo—. ¿Qué ha pasado?

Coote se desconcertó. Trató de desviar la conversación hablando nuevamente de los colonos, pero Thomas se lo impidió.

—¿Qué pasó? ¿Por qué trató usted de localizarme?

—Por… por… lo de su hijo.

Thomas, que se sentaba en aquel momento, volvió a incorporarse. Se dominó. Conocía a Coote lo suficiente como para saber que si notaba su total ignorancia, no sería posible sacarle una palabra, y él necesitaba saber. ¿Qué había pasado con el hijo que esperaba? El sólo pensamiento de que pudiera perderlo, le estremeció de pies a cabeza.

—Estuve en California —dijo todo lo sereno que pudo—. Supongo que al no localizarme, ya se haría cargo de mi ausencia de Nueva York.

—Ciertamente.

—Siento todo lo que sufrió por mi causa.

Coote lo miró un segundo interrogante. Le dio la sensación de que Thomas Wales sabía lo ocurrido. Por esa razón se lamentó de nuevo sinceramente.

—Me tomé la libertad de matar al caballo que tiró a la señora… Le aseguro que sentí un odio mortal hacia el animal. Le pegué un tiro sin consultar con nadie. Brent se enojó. Pero el potro ya estaba muerto. Claro que hay que tener esperanza y resignación. Un hijo es fácil tenerlo. Si se pierde uno… Mi difunta mujer tuvo seis abortos antes de que naciera mi hijo. Y ya ve usted, ahora tengo seis nietos en Irlanda.

Thomas ya sabía demasiado. ¿Por qué? ¿Por qué ella no se lo dijo? ¿Por qué tenía que saberlo por boca de un extraño? ¿Por qué? ¿Por qué había montado un caballo, sabiendo cuál era su estado? ¿Por qué…?

Sentía en su ser como un cruel desgarramiento. Todo el amor, toda la ternura, toda la pasión vivida a su lado momentos antes, se desvaneció como se desvanece la brisa de un atardecer. Pensó en su hijo frustrado. En su dolor, que era como si le arrancaran de cuajo las entrañas…

Pero ni un músculo de su rostro se contrajo. Se diría que la noticia de aquel hijo perdido sin haber llegado, ya la conocía desde Nueva York. Emitió una sonrisa. De haber sido *mister* Coote más observador, hubiera notado que aquella sonrisa era una máscara tras la cual se ocultaba como un gemido silencioso.

—Agradezco su dolor, *mister* Coote —dijo roncamente—. Espero tener otros hijos.

—Es lo que dijo el doctor cuando asistió a *mistress* Wales. Hay que tener resignación. Llegarán otros.

—Buenas noches, *mister* Coote.

—Buenas noches.

Quedó solo en mitad del salón. Tenía la mirada fija en un punto que no existía, y la mandíbula cuadrada. De súbito giró en redondo, y con lentitud, una lentitud que significaba más que un apresuramiento, se deslizó escaleras arriba.

Llevaba las manos hundidas en las profundidades de los bolsillos del pantalón y no las sacó cuando llego ante la puerta de la alcoba de su esposa. Empujó la puerta con el pie y quedó plantado en mitad del umbral.

Beatriz estaba allí, a dos pasos de él, enfundada en un camisón de dormir azul pálido y una bata de casa de un tono azul marino. Al verlo, pálido y desencajado, con la boca fuertemente apretada sobre el habano que le colgaba de la comisura izquierda, comprendió que ya lo sabía. No pensó en quién pudiera habérselo dicho. ¿Qué más daba?

Hubo un largo silencio. Ella esperaba. Le temblaban las piernas, pero Thomas nunca pudo apreciar ni conocer aquel temblor. Pasó y cerró la puerta con el pie, sin mirar cómo lo hacía. Sonó un golpe seco, y luego los pasos de Thomas lentos, horriblemente lentos.

—Thomas… —susurró ella—. Thomas… Yo no he tenido la culpa.

—La has tenido —dijo sin gritar, como si su voz se desgarrara—, la has tenido. Una mujer en tu estado, nunca debe montar un caballo. Di que todo cuanto haces y dices es mentira. Di, confiesa, que aún estás enamorada de ese maldito muñeco de salón llamado James Holland. Se sincera, al menos por una vez; di que odiabas ese hijo porque era mío.

—¿Cómo puedes decir eso? ¿Acaso no has estado a mi lado hace una hora? ¿Es que ya has olvidado…?

Thomas rió. Era aquélla su risa odiosa que ya conocía. Parecía que todo en él se rompía con aquella risa que terminó como un gemido contenido.

—A las mujeres —dijo mordiendo cada palabra— os es fácil mentir. Fingís con absoluta naturalidad. Todas… Todas sois iguales. Unas por un collar de brillantes, otras por una perla, las más por el simple placer de tener un hombre al lado.

—¡Thomas! —gritó desgarradoramente.

—No voy a juzgarte por lo que ha ocurrido aquí entre los dos hace una hora —dijo con una voz que parecía salir helada de entre los labios. Escupió el puro sin ninguna corrección. Volvía a ser el hombre despiadado y brutal que ella conoció el día que llegó a la comarca de Virginia City—. Voy a juzgarte por lo que has hecho con mi hijo. Mi hijo, mujer, que sabías con el ansia que era esperado por mí. Yo no tuve mimos en mi niñez —gritó excitado, loco de desesperación más que de pena—. Mi padre era un beodo, mi madre tenía amigos. Huí de Londres como un animal acorralado, muerto de vergüenza y de dolor. Me juré a mí mismo ser un hombre honrado, formar una familia, tener hijos a quien mimar y educar, no como me han educado a mí, sino como yo era, como yo quería ser, como hubiese deseado que me educasen a mí. Y la esperanza de hacer realidad mi sueño vino en ti. La hallé en ti cuando te conocí y te amé.

—Thomas...

—Y tú, sin piedad alguna, con desprecio de todo, subes a un caballo y te dejas arrastrar. Pierdes lo más hermoso de mi vida sin ninguna consideración, como si tuvieras pleno derecho a ello. —Se acercó, alzó la mano como una maza y la dejó en el aire. Ella esperó valientemente. Dolida más que él, pero firme, sin muecas, sin lagrimas. Secos y brillantes los ojos—. Eres la única responsable de cuanto ocurrió, y a ti te juzgo —siguió sin bajar la mano—. Y si no te amara tanto, si aún no esperara de ti la esperanza de ser padre, te mataría. Tú lo sabes... —bajó la mano, la hundió con rabia en el fondo del bolsillo. Ella apreció en aquel bolsillo el puño apretado—. No sabes lo que has hecho. Nunca podrás imaginártelo, porque has sido feliz en tu niñez, porque has tenido todo cuanto has querido. Yo no he tenido nada. Empezaba a tenerlo cuando me diste la noticia de que iba a ser padre. —Se detuvo de espaldas a ella—. Y no tuviste valor... Ese valor que debe tener la mujer honrada, para decirme... He tenido que saber por una boca extraña que no puede comprender el dolor de un hombre como yo.

—No me has dejado. Tú no me has dejado.

—¡No has querido! Tuviste miedo a perder el hombre que se rendía ante ti. Tuviste miedo, porque al fin y al cabo no eres más que una mujer débil, dominada, como todas las mujeres, por las pasiones de la vida.

—¡No, eso no!

—No te doy opción siquiera a disculparte.

Ella corrió tras él.

Se dirigió a la puerta.

—Thomas, deja que te explique. Deja que te diga por qué tomé el caballo. Porque en aquel instante no pude pensar en mi hijo, porque todos mis pensamientos los ocupabas tú.

Se volvió despacio. Parecía duro como una piedra. Ella no quiso o no pudo admitir que aquel mismo hombre fuera el que momentos antes la besaba y la quería. Allí, allí mismo, en aquella intimidad semioscura, Thomas fue un hombre considerado, honrado, leal y apasionado. Locamente apasionado. Tenía que comprender que si el accidente le dolía, doblemente le dolía a ella que iba a ser la madre.

—No me digas —cortó él los atropellados pensamientos—. No me digas nada. Nada podrá convencerme.

Abrió la puerta. Loca de desesperación, corrió hacia él. Thomas la detuvo con un ademán y dijo algo que la paralizó por completo.

—No te humilles. Si buscas en mí al hombre que has conocido esta noche, piensa que ha muerto con nuestro hijo.

Abrió la puerta, salió y cerró tras de sí con seco golpe.

Por un instante, Beatriz quedó como paralizada. Después, seguidamente, giró en redondo, se lanzó de bruces sobre la cama y sollozó como no lo había hecho en ningún momento de su vida, ni siquiera cuando supo que su padre se había suicidado, dejándola en la mayor ruina.

Se levantó muy temprano, para verle antes de que se fuera a la oficina.

Ya no estaba. No preguntó. Sería poner al descubierto su extraño modo de vivir.

Durante toda la mañana anduvo por la casa y por el parque como una autómata. No podía juzgar a Thomas

Wales, por todas las injurias que le dijo. Un hombre como él, tan arraigado al deseo de poseer un hijo, era lógico que reaccionara como lo hizo. Sólo le quedaba una esperanza. Que un día Thomas comprendiera su injusto proceder y rectificara, y entonces ella no haría una escena ni reprocharía su actitud anterior. Lo admitiría en su vida y lo amaría con todas las fuerzas de su ser.

Fue aquella tarde, precisamente, cuando pidió que le ensillaran un caballo. El criado la miró con cierto asombro.

—¿Va a montar otra vez?

—Sí. Procure que sea un potro manso.

Montó en él y se dirigió al poblado próximo. Necesitaba desahogarse. Contar a alguien cuanto le ocurría. Y nadie mejor que aquel sacerdote que no pudo ver en una ocasión también trascendental en su vida.

El sacerdote, joven y afable, tomaba el sol sentado en un banco de piedra ante la pequeña iglesia.

Al ver a la joven y bella dama, se puso en pie y fue hacia ella ayudándola a desmontar del caballo.

—Buenas tardes, padre.

—Buenas, hija.

—Soy la esposa de Thomas Wales.

—Conozco a Thomas. Alguna vez viene por aquí a traerme hortalizas de sus tierras. Solemos charlar un rato. Ya me dijo que se había casado con una inglesa. Venga, vamos a sentarnos. Me da la impresión de que viene a contarme algo.

Beatriz asintió con un breve y silencioso movimiento de cabeza. El sacerdote la tomó del brazo y la hizo entrar en la sacristía.

—Esto es húmedo —comentó como si pretendiera distraerla—. Las ventanas están tan altas, que es difícil que el sol, protegido por el techo del cabildo, entre por ellas. Tome asiento. Cuénteme qué le ocurre.

Se lo contó. Desde el momento que perdió a su padre, que James la abandonó y sus amigos fueron a buscarla, hasta el momento en que Thomas le dijo todas aquellas cosas horribles.

Al referir lo de su hijo sollozaba. El padre la dejó terminar y aún la permitió que llorara. Después, muy suavemente, empezó a hablar.

—Cometiste un error al casarte de ese modo. Eres católica. Hubo en ti un fallo tremendo, Beatriz.

—Le amé en seguida.

—Pero suponte que no le amaras y él no te amara a ti. La cruz la tenías bien merecida, no sólo tú, sino él también. Pero puesto que las cosas ya están así, y el pecado cometido, tal vez redimido por el amor que pese a todo os une, supongamos que existe una disculpa y que Dios os haya perdonado.

—¿Y ahora? ¿Qué hago yo ahora? Usted sabe que no maté a mi hijo por mi gusto. Que si aquella tarde monté un caballo, fue desesperada porque quería pedirle consejo a usted. Sentía que perdía a mi marido. Ya le amaba, padre. Le amé desde un principio. A veces pienso que empecé a amarlo cuando Audrey, mi amiga, me habló de él…

—Ahora ya no se trata de tu hijo, sino de Thomas. Todo lo que te dijo fue movido por su gran desesperación. Yo sabía, él viene por aquí muchas veces, ya te lo dije, que estaba muy ilusionado con ese hijo…

—Pero yo no fui responsable.

—Eso es lo que tienes que hacerle comprender a Thomas.

—¿Cómo?

—Con tu actitud resignada, sumisa y amante.

—Él me desprecia.

—No. Thomas es incapaz de despreciar a nadie. Parece una montaña inexpugnable y es sólo un montículo que se atraviesa en dos zancadas. Conozco bien a Thomas. Hace mucho ruido, pero es un mozalbete lleno de ilusiones y hasta de ingenuidades.

—No conozco a mi marido bajo ese aspecto.

—Si analizas la cuestión… ya le conoces. Piensa en él, no como le viste después de saber lo de su hijo, sino como lo viste junto a ti al regreso de su viaje.

Beatriz bajó la cabeza.

—Sí —asintió con un suspiro—. Sí.

—Aquel hombre era un ser enamorado nada más. Apasionado, ilusionado, tierno e ingenuo. Un sentimental perdido, ¿verdad?

—Sí —admitió—. Creo que sí.

—Pues eres tú quien puede hallar de nuevo a ese hombre perdido en sí mismo.

—¿Cómo?

—Ya te lo dije. Con tu dulzura y tu paciencia. Las mujeres atesoráis grandes cantidades de paciencia y ternura cuando amáis.

—Me ha ofendido.

—Si bien tú misma dices que no le guardas rencor.

—No puedo.

—Eso es lo mejor. Tendréis otros hijos.

—Él no quiere saber nada de mí.

—Conoces poco a los hombres —rió enternecido—. Eres muy infantil.

—Él dice que soy orgullosa y altiva.

—Un parapeto. Bajo la altivez y el orgullo, las mujeres ocultáis grandes debilidades que ni vosotras os atrevéis a confesar.

—Conoce usted bien el alma humana.

—Vivo en ella. Vete a casa. Espera a Thomas. No le mires con odio. Mírale con ternura. Es lo que más fácilmente desarma a un hombre.

—Sí, padre.

—Y cuando vayas a tener otro hijo, no montes a caballo.

—No lo haré, no.

—Adiós, Beatriz. Ven de vez en cuando por aquí. Por desgracia no tengo muchos feligreses. Las gentes del lugar se olvidan fácilmente de sus deberes para con Dios.

—Le prometo que vendré.

La vio subir al caballo y aún le dijo adiós con la mano. Sonrió. Todo en la vida tenía arreglo. Aquello era más fácil que su problema con los habitantes del poblado.

Beatriz cabalgó despacio. Pensaba en Thomas. No ya en sí misma, en él únicamente, en aquel hijo frustrado que ella lloró noche tras noche. No se extrañaba de que Thomas la culpara. Ella era la portadora de aquel niño y debió cuidarle.

Apretó los labios. No podía pensar, porque de hacerlo tendría que llorar de nuevo y prefería guardar todas sus energías para tratar a Thomas sin alterarse.

Desmontó del caballo frente a la casa y subió despacio. Él no había llegado aún. Kay se encontraba en la terraza, limpiando un macetero.

No debe montar a caballo, amita —dijo Kay con suavidad—. Ya sabe lo que ocurrió.

—Ahora, por desgracia, no estoy embarazada.

—No se sabe, amita, no se sabe —dijo Kay con su peculiar gracejo.

Beatriz a su pesar se estremeció. Caminó presurosa por el vestíbulo, como si de pronto algo o alguien la persiguiera.

Cuando a la noche tocó el gong y bajó al comedor, vio allí a Thomas, serio, lejano, duro como cuando lo conoció.

—Buenas noches —saludó ella quedamente.

—Buenas.

Fue la seca respuesta de Thomas. Comieron en silencio. Al final de la comida, ella se fue a su cuarto; Thomas a la biblioteca, tras darse una buenas noches secas y frías.

Diez

Durante dos meses, la vida entre ellos se desarrolló del mismo modo. Thomas parecía ignorarla, ella siempre amable y cariñosa, le hallaba sin obtener apenas respuesta.

Una mañana vio el auto de Thomas aparcado en la casa. Supuso que aún no se habría ido, pero pasó la mañana y llegó la hora de comer. Y Thomas no había aparecido.

¿Se habría ido de viaje sin despedirla?

Esta suposición la llenó de dolor. No había cometido ningún crimen. Como madre, ella sentía el mismo dolor que el padre, o tal vez más. Era demasiado injusto Thomas para juzgarla.

Estuvo a punto de preguntar a un criado, pero era tanto como poner en evidencia todo lo que ocurría entre ellos y se mordió los labios. A media tarde buscó a Kay. La encontró en el corredor limpiando el polvo de un cuadro. Kay no podía estar sin hacer nada.

—¿Cómo sigue, amita? —preguntó nada mas verla.

Beatriz se estremeció.

¿Quién se encontraba mal? ¿Ella? Se miró a sí misma con cierto asombro.

—Yo ya le dije que debería llamar al médico —siguió Kay, ajena a los pensamientos de la joven—, pero él se empeña en que no lo necesita.

Beatriz se apoyó en la pared. ¿Thomas? ¿Estaba Thomas enfermo? Naturalmente que sí, por eso no había ido al trabajo, por eso no acudió al comedor, por eso Kay parecía inquieta. Naturalmente, Kay creía que ella sabía lo de su marido.

—Tendremos que llamar al médico —dijo de súbito—. El amo es muy terco.

Le ardían los pies. Necesitaba subir, correr hacia su alcoba. Kay aún la retuvo haciendo sus consideraciones, pero al fin Beatriz huyó y subió corriendo las escaleras. Al llegar al vestíbulo superior detuvo su carrera, apretó el corazón que le palpitaba desesperadamente y caminó despacio, como si lo más normal del mundo para ella fuera dirigirse a la alcoba de su marido.

No llamó. Empujó la puerta.

—¿Que te pasa?—preguntó cerrando tras de sí y acercándose al lecho.

—Nada.

—Debiste advertirme.

Thomas se hallaba tendido en la cama. Parecía agitado.

—Todos lo saben en la casa menos yo. Me enteré por casualidad.

Hablaba con naturalidad, como si no ocurriera nada desgraciado entre los dos. Thomas no la miraba. Fumaba en silencio y tenía los ojos fijos en la pared.

—Llamaré al médico, Thomas.

—No es preciso.

Alargó la mano, dispuesta a tocar la cabeza de su marido. Éste la retiró con presteza. Rudamente dijo:

—Cuanto más pronto te quedes viuda, mejor para ti.

—No quiero quedarme viuda, Thomas.

—¡Bah! Palabras.

—Thomas… —susurró ella con un hilo de voz—. Eres injusto conmigo.

—¿Has venido a decirme eso? —cortó secamente—. Tengo fiebre, posiblemente mañana ya pueda levantarme. Necesito estar solo. Eso es lo único que deseo.

—Podemos tener más hijos, Thomas —susurró valientemente.

Él la miró cegador.

—No serán mis hijos —gritó exasperado—. No más dolor.

—Thomas…

—Vete. ¿Qué demonios haces aquí? ¿Por qué te humillas?

—No me humillo, querido —dijo dominando el deseo de llorar—. Es que te quiero.

—¡Mentira! ¡Mentira! ¿Me oyes?

Se inclinó hacia él. Puso sus dedos en la frente ardiente. Thomas fue a apartarla, pero ella le sujetó el rostro con la otra mano. Aquel perfume… Aquel contacto… Thomas cerró fieramente los ojos.

—Vete —pidió roncamente—. Tengo fiebre.

La mano de ella resbaló lenta y suavemente desde la frente hasta la garganta masculina, en una caricia tan tierna como su voz.

—Estás ardiendo, Thomas.

Él apretó los labios. Estuvo a punto de tomarla en sus brazos y mandar todo al diablo, pero su vountad lo contuvo.

—Déjame en paz.

—¿Qué has tomado hoy?

—Te digo.

Ella imperiosa, asió el rostro de Thomas entre las dos manos, y lo obligó a mirarla a los ojos.

—Después —dijo a media voz—, cuando sanes, cuando te levantes, pégame si quieres. Pero ahora estás enfermo, soy tu esposa y me harás caso; y quiero que sepas que no lo hago por deber. Lo hago porque si tú faltaras, aun como eres, yo me moriría.

Thomas apretó los ojos y volvió a abrirlos. Aun la tenía inclinada hacia él, con las manos sujetándole el rostro, suave, femenina, enloquecedoramente bella.

—Déjame —gruñó menos furioso—. Déjame…

Beatriz pensó en las palabras del sacerdote. En el fondo, y bajo su capa de hombre rudo, se ocultaba, sí, un sentimental.

No le dejó. Se sentó en el borde de la cama y susurró quedamente inclinada hacia él:

—Llamaré al médico.

—No quiero.

—Y te cuidaré. Thomas. Quieras o no quieras, estaré a tu lado. Tendrás que levantarte para echarme de aquí.

Él cerró los ojos. Volvió la cabeza hacia la pared y quedó silencioso, como un niño pequeño enfurruñado. Pero la tenía allí, cerca de él, sintiendo su contacto, notando su perfume… Era como una condenada tentación.

El médico lo visitó al atardecer. Beatriz estaba allí, junto a la cama de su marido, con una mano de éste entre las suyas. Thomas no rescató aquella mano y de vez en cuando la miraba indefiniblemente.

—Mimos —rió el doctor—. Lo que tiene usted, *mister* Wales, son mimos. Tiene una enfermera deliciosa y le agrada que lo cuide. *Mistress* Wales, no le haga mucho caso. Le aseguro que la fiebre no le mata. No hay síntomas de ninguna enfermedad. Mañana puede levantarse tranquilamente.

—Me duele mucho la cabeza —gruñó Thomas.

—No se morirá de dolor de cabeza —rió el doctor—. Le dejo aquí una inyección —miró a Beatriz—. ¿Se la pondrá usted misma?

—Claro que no. *Mister* Coote se encargará de ello —gritó furioso Thomas—. ¿Quiere usted que me mate mi mujer?

—Parece mentira que los hombres aparentemos tanta fortaleza —comentó burlón el doctor— y en un momento dado, por una simple inyección, nos convirtamos en gallinas.

—Doctor…

—Si mañana amanece sin fiebre, que es lo que yo espero, levántese y haga vida normal. Hasta mañana, pues.

Beatriz lo acompañó hasta la puerta de la terraza. El doctor la miró admirativo. Pero no demostró su admiración. Dijo tan sólo:

—Supongo que ya se encontrará bien, *mistress* Wales. Tiene usted un excelente aspecto.

—Precisamente —susurró ella con timidez— quería hablarle de mí. Me siento bien en apariencia, pero… —se ruborizó en extremo— tengo los mismos síntomas que cuando… caí del caballo.

El doctor se interesó.

—¿Dice usted que cree estar embarazada?

—Así es.

143

—Caramba. Eso es magnífico. Vaya mañana por la clínica. ¿Lo sabe su esposo?

—No se lo he dicho aún porque temo equivocarme. Desea tanto un hijo…

Me hago cargo. Nada le diré a su esposo… Mañana… vaya a verme. Le haré una exploración. Buenas tardes, *mistress* Wales.

—Que usted lo pase bien, doctor.

Regresó muy despacio a la alcoba de su marido. Sí, los síntomas eran los mismos. Náuseas por las mañanas, mareos, vómitos… Alzó los ojos al cielo como si implorara:

—¡Que sea cierto, Dios mío! —susurró con fervor.

Cuando entró de nuevo en la habitación de su marido, su sonrisa ya no era anhelante. Se diría que ninguna preocupación la agitaba.

—¿Lo ves? —entró exclamando—. No tienes nada. Los hombres sois unos mimosos.

Thomas permaneció silencioso. Tenía la cabeza vuelta hacia la pared y parecía empeñado en no mirarla. Beatriz no se dio por vencida. Extendió la mano y la posó en el cuello de su marido. Éste se agitó.

—No te humilles —dijo rudo.

Aún no la miró.

Beatriz se inclinó hacia delante y susurró con un hilo de voz:

—No es humillación por mi parte, Thomas. Me gusta acariciarte. Sé que tú… que tú lo deseas.

—¡Quita! —gritó sin energía—. Quita.

Por toda respuesta la joven se inclinó más hacia él. Sus labios abiertos buscaron la boca de Thomas. Él parecía paralizado. La tenía muy cerca. Sus ojos eran grandísimos, sus labios… ¡Oh, sus labios!

Los recibió en los suyos con ansiedad. Sus manos se movieron y súbitamente apresaron la espalda de Beatriz.

—Es lo que quieres de mí —gimió queriendo ser cruel, pero sin saber serlo, porque no lo sentía, porque ella tenía demasiado poder porque… la amaba más que a su vida—. Mis besos y mis caricias.

Sobre su boca ella murmuró:

—No digas eso. No conseguirás ofenderme.

—No te perdonaré nunca.

—Me perdonarás, Thomas. Me estás perdonando ya.

—No quiero…

Lo besó larga, intensamente. Él la estrujó contra sí. Y fue ella, la que al sentir su ansiedad, se apartó sin brusquedad. Lo miró a los ojos. Thomas parecía exaltado.

—Ven aquí —gritó—. Ven aquí, Beatriz.

—No.

—Eres una coqueta.

—Me gusta serlo contigo, Thomas.

—Te digo…

Riendo, ella se dirigió a la puerta. Thomas se sentó de golpe en la cama.

—¡Beatriz! —llamó.

—Voy a buscarte la cena.

Salió. Thomas cayó hacia atrás con los puños apretados.

Tenía razón ella. No podía ofenderla ni podía rechazarla. Era… Era toda su vida, tuviera la culpa o no la tuviera, de aquel incidente.

Esperó conteniendo su ansiedad. Cuando oyó la puerta abrió los ojos y los fijó en el umbral con anhelo incontenible.

—Buenas noches, amito.

—Kay —gruñó—. ¿Por qué tú?

—La señora me pidió que le trajera la comida. Ella está comiendo. Me dijo que vendría luego por aquí. Haga el favor de sentarse, amito. Voy a servirle.

Thomas obedeció de mala gana.

—Dile a Coote que venga a ponerme una inyección.

—¿Cómo se siente?

—Espero poderme levantar mañana.

Habló por las codos mientras servía a su amo. Dijo que la noche estaba espléndida. Que al fin los colonos se habían avenido a las reformas, que la amita había salido a caballo uno de aquellos días, que…

—¿A caballo? —se agitó—. ¿Adónde?

—A ver al sacerdote.

—¿Por qué?

—No se lo pregunté, amito. Luego volveré a recoger el servicio. Que aproveché, amito.

Se alejó como si nada hubiese dicho. Thomas quedó agitado. ¿Por qué a caballo? ¿Por qué al sacerdote?

Comió mal y poco. Cuando reapareció Kay se lamentó:

—Pero si no ha comido nada.

—Llévatelo todo. No tengo apetito. Dile a mi esposa que suba.

Casi inmediatamente, Beatriz apareció en el umbral. Kay salía en aquel instante.

—Está muy rebelde, amita. Los hombres son muy malos enfermos.

La joven sonrió. Cerró la puerta tras de Kay y se aproximó al lecho. Recostado en él, Thomas fumaba presuroso un cigarrillo.

—¿A qué has ido? —preguntó a boca de jarro.

Beatriz se le quedó mirando de pie junto a la cama, sin comprender.

—Di —gritó él cada vez más excitado—. ¿A qué has ido al poblado? ¿Qué le has dicho al padre católico? ¿Qué le has dicho?

—Suponte por un momento, Thomas, que no me da la gana decírtelo.

Él aspiró el humo del cigarrillo y lo expelió con fuerza.

—Tendrás que decírmelo, a menos que prefieras que te juzgue…

Ella se dejó caer en una butaca, no muy cerca del lecho. Cruzó una pierna sobre otra con coquetería. Thomas miró aquellas piernas; furioso desvió los ojos.

—No me asusta que me juzgues, Thomas —dijo ella serenamente—. Ya lo hiciste una vez injustamente. ¿Qué importa otra más? Pero como no es un secreto —añadió haciendo caso omiso de su furor— te diré a qué fui a ver al sacerdote. Me has hecho creer que lo de… nuestro frustrado hijo…

—¡Cállate!

—No más. No me callaré más. Ten presente que es la última vez que te hablo de este asunto. Mas prefiero dejarlo bien claro, a vivir continuamente en una pesadilla que me quita la vida. El día que monté a caballo me dirigía a casa del sacerdote a pedirle un consejo. Necesitaba saber si mi presencia en Nueva York, junto a ti y ante la… secretaria, podía ser un desatino. Tal vez si mi caballo no llega a tropezar, hubiera ido a buscarte a Nueva York.

—No eres tú mujer que se arriesgue a eso.

—Tú no me conoces.

—¡Te conozco!

147

Enrojeció.

—Está bien. Admitamos que me conoces. Pues si es así… sabrás que soy mujer de eso y mucho más. El otro día fui a ver al sacerdote para referirle todo esto. Necesitaba participar a alguien mi amargura.

—Y él, tan piadoso, ha tranquilizado tu conciencia.

—Sí.

—Es muy cómodo por tu parte.

—Thomas… he venido a hacerte un rato de compañía, no a discutir.

—Encima me pones condiciones.

—No las he puesto aún, pero las pongo desde este instante. O dejas de injuriarme, o me voy a mi cuarto.

Él se calló.

—¿O es que prefieres que me vaya?

—Sí.

Beatriz se puso en pie como impelida por un resorte.

—Eres muy terco. Me amas y no eres capaz de admitirlo.

Thomas se había tendido en el lecho y miraba hacia la pared con obstinación. Ella pensó de nuevo en las palabras del sacerdote.

«Thomas es ingenuo e infantil, aunque él no lo reconozca así.»

Sonrió.

—Thomas.

—Lárgate.

—Mira bien lo que dices.

—He dicho que te vayas.

—Está bien. Buenas noches.

Sintió sus pasos alejarse hacia la puerta. Apretó los puños. Él necesitaba que no se fuera, pero… pero…

La joven se detuvo. Thomas parpadeó. ¿Es que no se iba? ¿Por qué no lo hacía de una maldita vez, o se acostaba en la cama a su lado?

Beatriz se hubiese acostado si él se lo hubiera pedido. Pero él no lo haría… No lo haría, aunque lo estaba deseando.

—Thomas…

La tenía allí de nuevo. No miró.

—Thomas —dijo la joven inclinada hacia él, quemándole con su aliento—, una sola palabra y me quedaré a tu lado.

Thomas apretó la boca. ¡Cielos! El corazón le salta, y las sienes y el pulso, y todo en él se agitaba con intensidad. Pero pedírselo… No.

—Thomas, por última vez. Di algo.

Nada. No decía nada. Y lo peor era que las palabras estaban a punto de salir de sus labios.

—Thomas… —susurró Beatriz con un hilo de voz—. Buenas noches.

No respondió. Sintió sus pasos retroceder. Clavó los ojos en la pared. ¡Aquel hijo que ella había perdido por imprudencia! Aquel hijo que fue, y aún era, toda su esperanza… Y aquella esperanza se desvaneció por su culpa. ¡Sólo por su culpa!

—Buenas noches, Thomas.

Tampoco contestó. Oyó que se cerraba la puerta, y entonces, como enloquecido se sentó en el lecho. Apretó la boca para que el grito no saliera de entre sus labios. ¡Beatriz! ¡Beatriz!

Pero no pronunció aquel nombre.

El médico confirmó lo que esperaba.

Regresó a casa dispuesta a participárselo a Thomas, pero Kay, en medio del jardín la retuvo.

—El amito está medio loco, amita, y perdone la expresión. Se ha levantado y se ha ido a la oficina.

—¡A la oficina! ¡Pero si son las seis de la tarde!

—Ya lo sé. Se ha ido a las tres, nada más marchar usted.

Fueron horas agónicas. Temió que Thomas, rencoroso hasta el extremo, no volviera a casa aquella noche.

Pero volvió. Lo oyó llegar pisando fuerte. Penetró en la biblioteca. Ella, que se hallaba hundida en una butaca, no volvió la cabeza ni se movió.

—Buenas noches —oyó que saludaba.

Y casi al mismo tiempo se derrumbó en una butaca. Fue entonces cuando ella lo miró.

—Thomas —exclamó asustada— estás muy pálido. Claro —se puso en pie yendo hacia él—, has salido con fiebre.

Fue a tocarle. Thomas hizo un brusco movimiento, impidiendo el ademán de su mujer.

—Pero… —aspiró hondo—. Thomas… estás buscando que me canse.

—¿No lo has dicho una vez? Márchate a Londres si es que no puedes soportarme.

—Puedo soportarte.

Él la miró un segundo.

—¿Por qué eres tan sincera? —gritó—. O tan embustera. ¿Por qué ya no eres altiva? Di, ¿por qué?

—Thomas.

El hombre se puso en pie y empezó a pasear a lo largo de la pieza. Con las manos en los bolsillos del pantalón, mantenía un poco arremangada la zamarra de cuero. Le pareció el mismo hombre que fue a esperarla al aeropuerto, y le dijo por todo saludo: «Me han engañado. Yo pedí una mujer morena y aproximadamente de mi edad. Tú no eres morena y demasiado joven...»

—Thomas.

—Ya sé que soy un patán —dijo él de pronto, sin detenerse, como si aquello le irritara—. Ya sé que no soy fino ni delicado.

—Para mí... lo eres.

—¡Mientes! —gritó excitándose más y más—. Mientes. ¿Qué pretendes? ¿Mi dinero?

—Eres muy injusto.

—Yo digo —exclamó apuntándola con el dedo enhiesto— por qué me soportas. ¿Por qué?

La respuesta salió sencilla y suave de los labios femeninos.

—Porque te amo.

Thomas quedó como paralizado. De súbito, sin decir nada, giró en redondo y salió de la biblioteca pisando fuerte.

«Cuando baje a comer, le diré que voy a tener un hijo y que éste se logrará.»

Pero Thomas no bajó a comer. Se encendieron las luces del salón comedor, la doncella dispuso la mesa para la comida, Kay dio su último vistazo como siempre, y cuando se retiraba, Beatriz entró por la puerta que comunicaba con el saloncito.

—¡Ah! —exclamó la negra—. Me asustó usted, amita.

—¿Se acostó el amo?

—Eso parece. Dijo que no bajaba a comer.

Pues no iría a su cuarto. Ella tenía que tener su orgullo. No había matado a su hijo. Dios quiso que no llegara al mundo tal vez para probarlos a los dos. No subiría a su cuarto. Que rumiara allí su soledad y su dolor, si es que lo sentía. Dudar de su cariño no podía. Sabía, tenía pruebas de ello, de que Thomas la amaba más que a su vida. Él era así. Había que tomarlo así o no tomarlo, y ella… ¿qué podía hacer más de lo que había hecho ya? ¿Postrarse a sus pies implorando por Dios un perdón para algo que en su conciencia no había cometido?

No y mil veces no.

Comió sola y se retiró a su aposento. Se sentó ante el secreter y preparó los útiles para escribir.

Las cartas, dos en total, que escribió a Audrey, habían sido sencillas, refiriéndole una vida que nunca había vivido, una felicidad que jamás sintió. Esta vez le contaría la verdad y le pediría dinero para el pasaje de regreso a Londres. Por mucho que amara a su esposo la dignidad le impedía humillarse más. Por encima del amor, aún le quedaba un poco de la dignidad de mujer, que Thomas, por muy fuerte y duro que fuera, no lograría pisotear.

Empezó la carta. Refirió en ella cuanto le ocurrió desde su llegada. Después lo sucedido con su hijo. Amargas lágrimas teñían la tinta del papel. Sentía como si las sienes le estallaran.

«Cierto que lo amé casi inmediatamente de conocerlo —escribía con febril velocidad, como si temiera

152

arrepentirse—, pero no puedo soportar por más tiempo esta tiranía. Indudablemente, Thomas Wales es muy fuerte, muy poderoso, muy duro y también muy amante, pero está cargado de complejos. No se quién pudo hablarle de mis relaciones con James Holland. Yo creo haberle dicho que amaba a un hombre. ¡Mi infantilismo! Comprenderás que si lo amara de verdad y rumiara mi pena y mi desengaño en el fondo de mi corazón, guardaría el secreto como si temiera que menguara éste al ser compartido por otra persona. Se lo dije, como pude decirle que me interesaba su dinero. Ya sabes lo muy indiferente que siempre fui para esto último. Papá murió arruinado, e igual que me casé con Thomas, pude haberme colocado de cajera. Lo que pretendí evitar fue mi encuentro con James. ¡Estúpida de mí! Nunca le amé. Inflaba mi vanidad de mujer. Era el muñeco, el figurín de todos los salones, y yo, absurda y frívola, creía que ser su novia era la mayor ventura de la vida. Fue así. Estoy segura de que de haberme casado con él, jamás sentiría en mí estas ansias, estas emociones que al lado de Thomas experimento. Thomas es… ¿Cómo podré explicarte cómo es Thomas? Es algo que no tiene explicación, Audrey, te lo aseguro. Llena toda mi vida, pero a la vez, con su temperamento su energía para mandar, sus complejos para confesarme su amor, me hacen muy desgraciada. Ya te expliqué lo que pasó entre nosotros aquella noche que de regreso de Nueva York, fui en el *jeep* a buscarle a la oficina… Te expliqué también lo ocurrido cuando regresó de un nuevo viaje. Cuando se enteró por boca de no sé quién, que el hijo tan ardientemente esperado se había malogrado. Te juro,

Audrey, que yo no tuve la culpa. Tan ciega iba a ver al sacerdote, con el ansia loca de preguntarle si sería contraproducente que fuera a buscarlo a Nueva York, que no recordé que esperaba un hijo. Sentí, como tal vez sintió él, que me arrancaban tas entrañas cuando supe que aquel hijo se había malogrado. Ahora... aún no lo sabe nadie, espero otro... Dios ha querido premiar en algo mi gran dolor de madre. Aún no se lo he dicho a Thomas. Pensaba decírselo esta noche, pero no me dejó. Su actitud descortés, su frialdad... Pero lo peor es que yo sé que esa frialdad no existe, que lucha como un loco para no tomarme en sus brazos y decirme... decirme todo lo que siente.»

Aquí detuvo la pluma. Tan embebida estaba en su labor, en aquel desahogo que era como un tubo de escape a su amargura, que no oyó que la puerta se abría y que una figura masculina se situaba tras ella e iba leyendo lo que escribía.

«Audrey aún no te he dicho el motivo de esta carta. Nunca pensé confesarte todo esto, porque me daba miedo a mí misma huir de lo que más amo, pero esto se acaba, mi paciencia toca a su fin, mi dignidad ya no puede soportar por más tiempo la frialdad de Thomas. Te pido que me envíes dinero. El suficiente para un pasaje a Londres. Si no he de tenerlo a él en su totalidad, prefiero no deberle siquiera ese puñado de dólares. Contéstame a vuelta de correo. Un abrazo de tu amiga que nunca te olvida...

»BEATRIZ.»

Cerró la carta sin un titubeo y la metió en el sobre; escribió en éste las señas, y fue entonces, al ponerse en pie, cuando vio junto a sí unas largas piernas de hombre, enfundadas en un pantalón de pijama a rayas rojas y negras.

Contuvo una exclamación y se enderezó. Thomas la miraba. La miraba con aquellos sus ojos ardientes, que parecían desnudarle, no sólo el cuerpo, sino también el alma.

Hubo un silencio. Los ojos al encontrarse, parecían paralizados. Fue él, tal vez más dueño de sí, quien murmuró:

—Vamos… a tener otro hijo.

Y ella, a lo tonto, respondió.

—Sí.

—Ya está visto que eres mujer prolífera —rió cachazudo—, como mis pozos de petróleo…

—No me agrada que me compares…

Él alzó una mano y asió los dedos femeninos, los oprimió con intensidad, al tiempo de tirar de ella y dejarla incrustada en su pecho.

—Dices en la carta que me amas de tal modo, que me admites tal como soy.

—Sí —susurró—. Sí…

—Permíteme que te compare a todo lo más bello y rico de este mundo —dijo él doblándola en su pecho—. Y perdona si puedes, todo cuanto involuntariamente te hice sufrir, porque si bien creí que me querías, nunca sospeché que me amaras de ese modo —señaló la carta con un dedo—. De ese modo —repitió roncamente— tan firme, tan contundente y tan apasionadamente, Beatriz.

La besaba. Eran los besos de Thomas aquellos mismos besos que recibió y con los cuales soñó en su soledad. Aquellos besos de Thomas, que eran como llamas y encendían todo lo sensible que había en su ser, y Beatriz Mac Whirter era toda sensibilidad.

Se olvidó de la carta, del hijo frustrado, del que iba a llegar. Sólo estaba Thomas allí, junto a ella, diciéndole cosas al oído, cosas que quizá eran vulgares, pero para ella, eran las más bonitas y originales del mundo.

Minutos, horas, siglos... Como aquel otro día que empezaba a amanecer y ella aún se hallaba en sus brazos. Y al ver sus ojos, aquellos ojos sinceros y dulces, personales, porque eran los ojos de Thomas, se apretó contra él y confesó ahogadamente:

—Te amo, Thomas. Permíteme que te lo diga en tres idiomas y con todos los acentos más suaves del mundo.

—Tontita.

—Y tú me amas a mí. Estarías negándolo una vida entera y no te creería.

—No pienso negarlo —dijo él roncamente—. Ya no puedo negarlo...

La carta nunca fue enviada. Pero en su lugar, fue otra algunos meses después, pidiéndoles que fueran a apadrinar al hijo que esperaban.

—¿Y si se malogra éste también, Thomas? —preguntó ella un día con súbita ansiedad.

Thomas la apretó contra sí. La forma de apretar de Thomas era única. Lo sentía cerca de sí como una caricia interminable y sofocada.

—Si se malogra, tendremos otros. Estamos aquí los dos vivos y sanos, Beatriz, querida muchacha, seductora mujercita. Los dos aquí para consolarnos mutuamente y esperar... Dios no puede ignorar que los dos estamos aquí esperando por un hijo...

Nació aquel hijo meses después. Era un muchacho. Thomas lo tomó en sus brazos, lo alzó como si ya fuera un chaval de dos años y se lo mostró regocijado a su mujer.

—Tiene tus ojos, Beatriz.

—¡Que le vas a deshacer, Thomas, amor mío!

Aquel hombre rudo, que sólo su mujer conocía de verdad, apretó el niño contra sí y miró largamente a su esposa.

—Es mi hijo, Beatriz, vida mía, y tuyo... ¿No has pensado lo que esto supone para mí? —miró a la *nurse*—. Lléveselo, María. La señora necesita descansar.

Pero ella no descansó. Tenía junto a sí a Thomas y necesitaba sus besos. Sus cálidos y apasionados besos.

—Vendrán Will y Audrey mañana. Tendrás que ir a esperarlos.

Hablaba quedamente. Al hacerlo, enredaba sus dedos en el peto de Thomas, mientras éste, inclinado hacia ella, la besaba largamente en el cuello.

—Tendrás que ir a buscarlos tú.

—Sí.

—Pero estáte quieto.

—Cuando estoy junto a ti me olvido de todo...